ほっかいどう
北海道

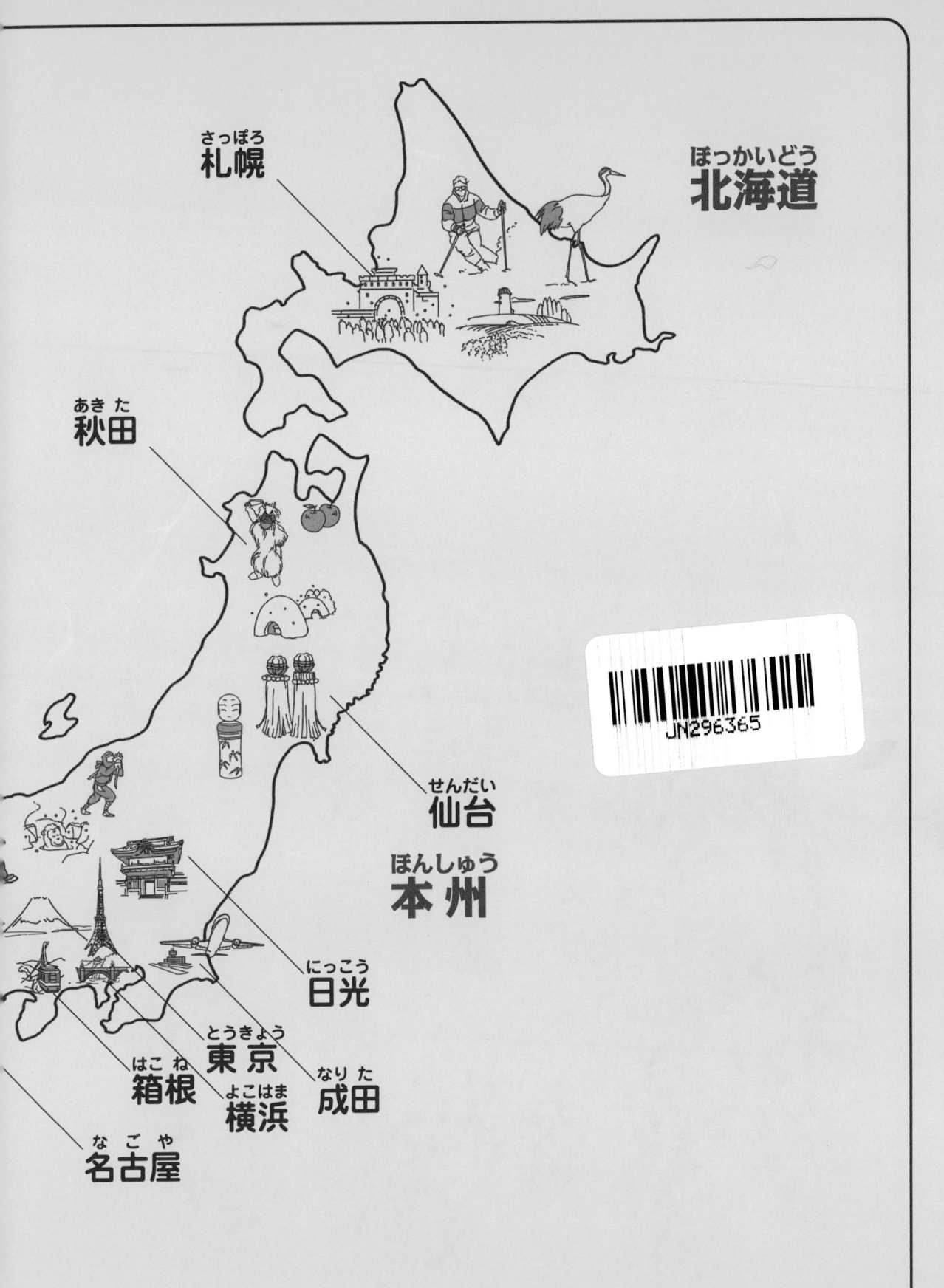

さっぽろ
札幌

あきた
秋田

せんだい
仙台

ほんしゅう
本　州

にっこう
日光

とうきょう　なりた
東　京　成田
はこね　よこはま
箱根　横浜

なごや
名古屋

日本語初級 ①
大地(だいち)

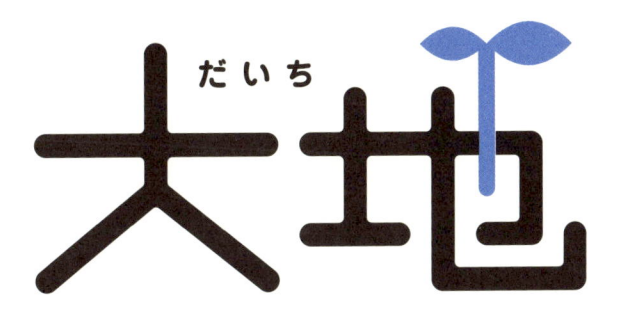

メインテキスト

山﨑佳子・石井怜子・佐々木 薫・高橋美和子・町田恵子

スリーエーネットワーク

©2008 by 3A Corporation

All rights reserved. No part of this publication may be reproduced, stored in a retrieval system, or transmitted in any form or by any means, electronic, mechanical, photocopying, recording, or otherwise, without the prior written permission of the Publisher.

Published by 3A Corporation.
Trusty Kojimachi Bldg., 2F, 4, Kojimachi 3-Chome, Chiyoda-ku, Tokyo 102-0083, Japan

ISBN978-4-88319-476-6 C0081

First published 2008
Printed in Japan

はじめに

　本書は初めて日本語を学ぶ学習者が、限られた時間の中で、楽しく、効果的に日本語を学習できることを目指した教科書です。

　初級学習者のニーズを念頭に、日本語で自分を語れるようになること、話す相手・状況を考慮して会話ができるようになることを意識して作成しました。最終的には、教科書の中だけでなく、教室の友達や実際の生活の場で接する日本人との関係を築けるような日本語の習得を目指しています。

　それぞれの練習は現実の場面を想定して構成し、基本的な練習であってもその学習した日本語が日々の生活で使えるように作成しました。また、文化や地理などについて知る喜びも得られるように、内容を十分吟味しました。

　本書は企画から完成まで5年の歳月をかけ、6回の使用を経て完成しました。その間、試行版イラストをおかきくださった高村郁子さん、阿部朝子さん、ご協力いただいた白井香織さん、江上清子さん、アジア学生文化協会日本語コースおよび東京大学工学系研究科日本語教室の学生の皆さん、また貴重なご意見をお寄せくださった先生方にこの場をお借りして感謝の意を表したいと思います。

　　　　　　　　　　　　　　　　　　2008年9月　　山﨑佳子
　　　　　　　　　　　　　　　　　　　　　　　　石井怜子
　　　　　　　　　　　　　　　　　　　　　　　　佐々木薫
　　　　　　　　　　　　　　　　　　　　　　　　高橋美和子
　　　　　　　　　　　　　　　　　　　　　　　　町田恵子

目次

はじめに
お使いになる先生方へ ……………………………………… (2)
本書の構成 …………………………………………………… (6)
各課の構成 …………………………………………………… (7)
凡例 …………………………………………………………… (8)

平仮名・片仮名 ……………………………………… カバー裏　CD 01
登場人物 ……………………………………………………… (10)
はじめましょう ……………………………………………… (12)　02

1	わたしは リン・タイです ……………………	1	会話 03	練習問題 04
2	それは なんの CD ですか ……………………	7	会話 05	練習問題 06
3	ここは ゆりだいがくです ……………………	13	会話 07	練習問題 08
4	あした 何を しますか ………………………	19	会話 09	練習問題 10
5	シドニーは 今 何時ですか …………………	25	会話 11	練習問題 12
6	京都へ 行きます ………………………………	33	会話 13	練習問題 14

まとめ1 ……………………………………………………… 39

7	きれいな 写真ですね …………………………	41	会話 15	練習問題 16
8	富士山は どこに ありますか ………………	47	会話 17	練習問題 18
9	どんな スポーツが 好きですか ……………	53	会話 19	練習問題 20
10	わたしは 渡辺さんに お茶を 習いました …	59	会話 21	練習問題 22
11	東京と ソウルと どちらが 寒いですか …	65	会話 23	練習問題 24
12	旅行は どうでしたか …………………………	73	会話 25	練習問題 26

まとめ2 ……………………………………………………… 79

13	何か 食べたいですね ……………	81	会話 **27** 練習問題 **28**
14	わたしの 趣味は 音楽を 聞く ことです ……	87	会話 **29** 練習問題 **30**
15	今 ほかの 人が 使って います ……………	93	会話 **31** 練習問題 **32**
16	ちょっと 触っても いいですか ……………	101	会話 **33** 練習問題 **34**
17	あまり 無理を しないで ください ……………	109	会話 **35** 練習問題 **36**
18	相撲を 見た ことが ありません ……………	117	会話 **37** 練習問題 **38**
まとめ 3		123	
19	駅は 明るくて、きれいだと 思います ……	125	会話 **39** 練習問題 **40**
20	これは 彼女に もらった Ｔシャツです ……	131	会話 **41** 練習問題 **42**
21	雨が 降ったら、ツアーは 中止です ……	137	会話 **43** 練習問題 **44**
22	食事を 作って くれました ……………	143	会話 **45** 練習問題 **46**
まとめ 4		149	

巻末

1. 資料 ……………………………… 152
2. 索引 ……………………………… 161
3. 学習項目一覧 …………………… 181
4. インフォメーションギャップ …… 186
5. チャート ………………………… 199

別冊解答

補助教材コンテンツ無料ダウンロード　https://www.3anet.co.jp/np/books/3200/

『大地』シリーズの教師用資料、語彙訳、付属CDの音声を掲載

お使いになる先生方へ

Ⅰ. 本書の目指すもの

　　本書は成人学習者を対象にした日本語初級テキストです。文法・文型の基礎固めはもちろん、運用力養成、つまり学習者が「使える」ようになることを目指しています。
　　学習者が自分で考え、自ら発信できるようになることを期待しています。

Ⅱ. 本書の特徴

1. イラストの多用

　　日本語が使われる状況や場面を可能な限りイラストで表し、学習者が状況や場面をイメージしやすいように配慮しました。代入練習の代入肢などもイラストで表してあるため、意味をしっかりと認識しながら口頭練習を行うことができます。

2. 練習問題の多様性

　　基本的なドリルのほかに、インフォメーションギャップ、インタビューとその発表、スピーチ、ストーリーテリング、読解、作文など多様なタスクを数多く取り入れました。したがって、本書1冊で運用力をつける練習までを行うことが十分可能です。
　　内容の面でも、日本の文化・社会・生活情報に触れる練習を意識的に取り入れました。

3. 練習問題の特徴

1）場面を重視し、必然性のある発話ができるように配慮しました。
2）14課以降で「友達の会話」として、積極的に普通体を取り上げました。これによって、実際の生活の中で聞く日本語と教室内の日本語を初期の段階から一致させることができます。
3）ほぼすべての課の終わりには「使いましょう」を設け、既習文型を組み合わせた複合的な練習ができるようにしました。まとまりのある文の読み書きや発表などを通じて、自分のことを自分の言葉で発信できるような仕組みとなっています。

4．文型・語彙

1) 本書の学習により、基本的な文型88、語彙約1,100語の習得が可能です。
2) 語彙については日常生活で使用頻度が高く、汎用性のあるものを使用するよう心がけました。
3) 成人学習者が日常生活を営む上で必要と思われる抽象的な語彙を使用しています。

5．表記

1) 「はじめましょう」と1課から3課までは学習者の負担を考慮して、すべて仮名表記にし、4課から22課までは日常目に触れる日本語を学習させるという視点から、常用漢字を使用した漢字仮名交じり文にしました。ただし、学習者の利便性を考慮して漢字にはすべてルビを付けました。
2) 各課2ページ目の一部・イラスト中の一部の文字・および活用表は仮名表記としました。

Ⅲ．使い方

1．留意点

1) 「はじめましょう」について
   1課からの学習を始めるまえに、必要に応じてお使いください。ここに提出されている語彙は学習する語彙として扱っていません。
2) 練習問題について
   練習するまえにイラストの中の語彙を確認してください。イラストを見て答える問題では答えは一つとは限りません。学習者の豊かなイマジネーションを尊重してください。別冊の解答を参照してください。
3) 自由解答（　　）について
   学習者の自由な解答を期待して、練習の随所に（　　）を使いました。ぜひ学習者の自発的な発話を促すようにしてください。
4) インフォメーションギャップの練習について
   マークのあるものはインフォメーションギャップを利用した練習です。練習用シートのうち1枚は本文該当ページにあり、もう1枚は巻末にあります。学習者をペアにして別々のページを見せて練習を行ってください。

5）練習の確認について
　　口頭練習だけでは正確に知識が定着しているか判断が難しいので、練習の最後には書かせるようにしてください。
6）読解と作文について
　　練習問題には随所に短い読解文を入れました。そのテーマを使って作文につなげることもできます。

2．標準所要時間

　1課当たり5から6時間程度、本書を終えるのに100から120時間を目安としてください。

3．授業展開例

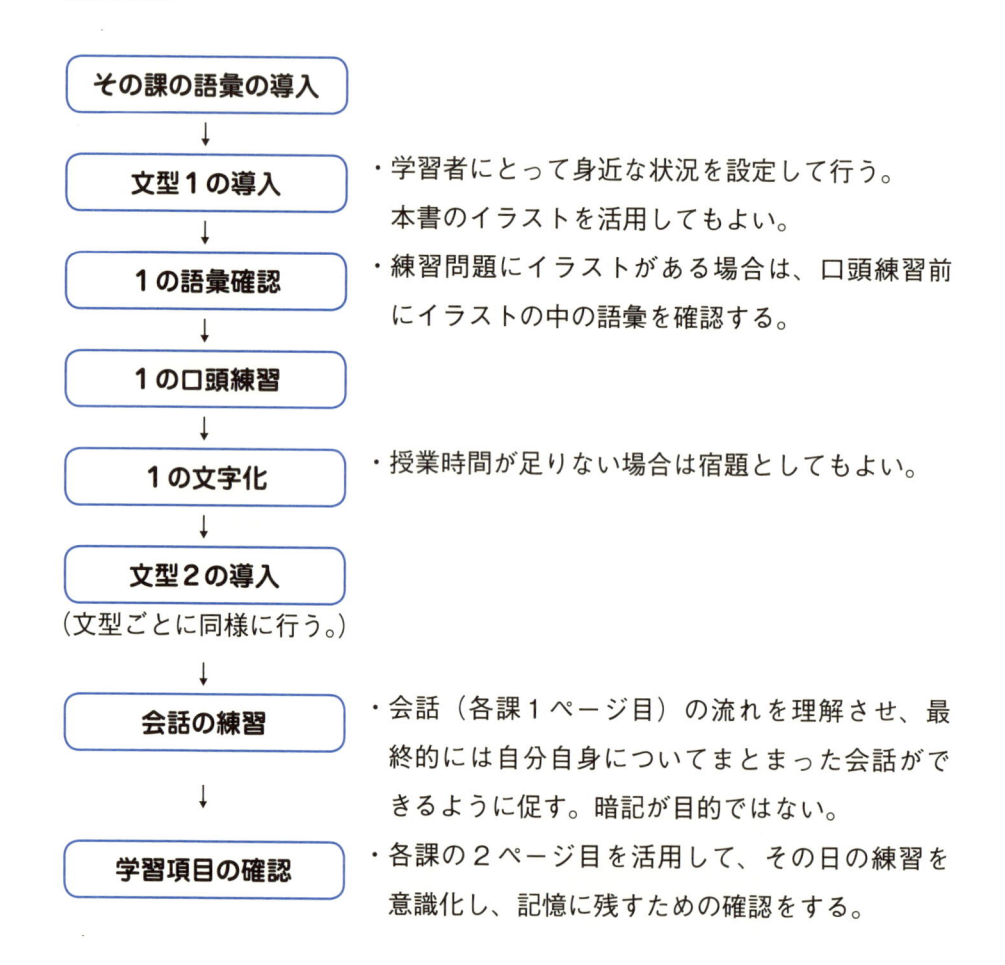

```
┌──────────────┐
│ その課の語彙の導入 │
└──────┬───────┘
       ↓
┌──────────────┐     ・学習者にとって身近な状況を設定して行う。
│  文型1の導入   │       本書のイラストを活用してもよい。
└──────┬───────┘
       ↓
┌──────────────┐     ・練習問題にイラストがある場合は、口頭練習前
│  1の語彙確認   │       にイラストの中の語彙を確認する。
└──────┬───────┘
       ↓
┌──────────────┐
│  1の口頭練習   │
└──────┬───────┘
       ↓
┌──────────────┐     ・授業時間が足りない場合は宿題としてもよい。
│  1の文字化    │
└──────┬───────┘
       ↓
┌──────────────┐
│  文型2の導入   │
└──────────────┘
（文型ごとに同様に行う。）
       ↓
┌──────────────┐     ・会話（各課1ページ目）の流れを理解させ、最
│  会話の練習    │       終的には自分自身についてまとまった会話がで
└──────┬───────┘       きるように促す。暗記が目的ではない。
       ↓
┌──────────────┐     ・各課の2ページ目を活用して、その日の練習を
│ 学習項目の確認  │       意識化し、記憶に残すための確認をする。
└──────────────┘
```

4．周辺教材について

　以下の教材について発行が予定されています。本書と併せて、それぞれの機関の学習時間やコースに合わせて活用してください。

1）『文型説明と翻訳』

　課ごとに「会話」「語彙」の翻訳、「文型説明」、「言葉と文化情報」があります。

2）『基礎問題集』

　本書の学習項目・語彙に準拠した各課対応の問題集です。

本書の構成

カバーの裏	平仮名・片仮名
見返し	日本地図（本書に現れる地名と関連情報イラスト）
はじめましょう	あいさつ、数字・時刻、教室用語
1～22課	
まとめ1～4	その課までの学習項目のまとめの問題
巻末資料	資料（助数詞等の一覧）、索引、学習項目一覧、インフォメーションギャップ、チャート（動詞48、形容詞20、名詞4）
別冊解答	各課の練習問題の解答
CD	会話と練習問題の例を収録

各課の構成

P.1　会話　　　　　その課の学習項目を使った会話。
P.2　文型提示　　　該当課の学習項目の提示。文の構造が分かりやすいように図式化。
　　　　　　　　　各番号に対応する練習問題がある。ただし、下の「①②③」の数字
　　　　　　　　　が付いた例文にはその項目だけに対応する練習問題はない。

P.3 以降
練習問題　　　　　P.2 の文型に対応した練習問題。1-1、1-2 は２ページ目の文型１の
　　　　　　　　　練習問題であることを示す。練習問題は基本練習・運用練習の順に
　　　　　　　　　配した。紙面の都合で基本練習だけの文型もある。
友達の会話　　　　主に普通体を紹介するための練習問題で、相手の年齢、親疎や社会
　　　　　　　　　的地位を意識したものも含む。
使いましょう　　　既習学習項目を含めた総合的な練習。

凡例

Ⅰ．記号の意味

1．文型ページ

1) [　　] 文中に例を2つ以上提示していることを表す。
   直接活用にかかわる部分のみ仮名表記（名詞は漢字）。

2) 青字　文型のポイントを表す。

   例）⎡晩ご飯を　たべて⎤から
   　　⎣宿題を　　　して　⎦

3) ▭（青）疑問詞を表す。仮名表記。
   ▭　　　疑問詞に対応する解答部分を表す。仮名表記。

   例）A：アンさんは なに を 食べますか。
   　　B：　　　　　 パン を 食べます。

   ※Bの空白部分は主語「アンさん」の省略を表す。

4) ＊　活用に例外がある語を表す。

2．練習問題の記号

1) (　　) 自由解答部分を表す。

2) ＿＿＿ イラストや文字で指定された代入部分を表す。

3) Ａ　　会話の流れが2種類想定される場合はB1 B2などと表す。
   はい／いいえ
   B1　B2

4) ／　同じ意味で別の言い方がある場合に用いる。
   例）はい、学生です。／はい、そうです。

5) 🎤　インタビューのタスクであることを表す。

6) 📖❓　インフォメーションギャップを使用したタスクであることを表す。ペアの学習者が、異なる情報を持ってお互いに相手の情報について聞く練習。ペアの一方の情報は巻末にある。

7) 👤　発表のタスクであることを表す。

8) ✏️　書くタスクであることを表す。

9) 👥　友達同士の会話であることを表す。

10) 💬　話している内容を表す。

11) 　　　　　書かれたものであることを表す。
12) 　↑　　　上の練習問題のイラストを参照して答える問題であることを表す。
13) 　　　　　選択肢であることを表す。

Ⅱ. 文法用語

本書では以下の文法用語を使用した。
名詞・動詞・形容詞・い形容詞・な形容詞
ます形・辞書形・て形・ない形・た形・丁寧形・普通形

登場人物(とうじょうじんぶつ)

学生(がくせい)

キム・ヘジョン
(韓国(かんこく))

ポン・チャチャイ
(タイ)

トム・ジョーダン
(カナダ)

リン・タイ
(中国(ちゅうごく))

マリー・スミス
(オーストラリア)

スバル日本語学校(にほんごがっこう)

先生　事務員

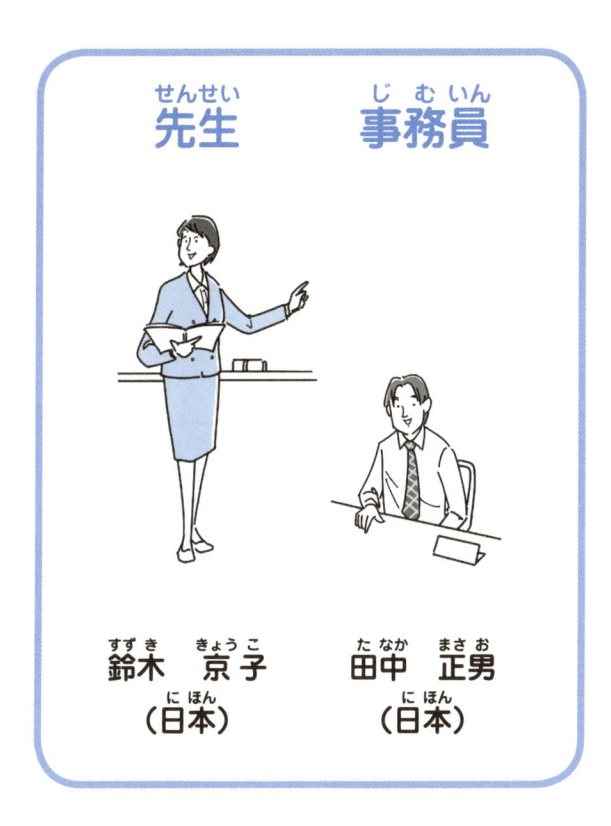

管理人

岩崎　一郎
（日本）

鈴木　京子
（日本）

田中　正男
（日本）

スバル寮

木村　春江
（日本）

木村　洋
（日本）

渡辺　あき
（日本）

レ・ティ・アン
（ベトナム・エンジニア）

アラン・マレ
（フランス・銀行員）

ホセ・カルロス
（ペルー・会社員）

はじめましょう

CD-02

1.

1) おはようございます。
2) こんにちは。
3) こんばんは。
4) さようなら。
5) ありがとうございます。
6) すみません。
7) いただきます。
8) ごちそうさまでした。
9) しつれいします。

2-1.

0…ゼロ／れい　　1…いち　　2…に　　3…さん
4…よん／し　　　5…ご　　　6…ろく　7…なな／しち
8…はち　　　　　9…きゅう／く　　　10…じゅう

2-2. 📞

けいさつ	１１０ (いちいちぜろ)
しょうぼうしょ	１１９ (いちいちきゅう)
がっこう	０１－２３４－５６７８ (ぜろいち・にさんよん・ごろくななはち)
しやくしょ	０４４－９６５－５１００ (ぜろよんよん・きゅうろくご・ごいちぜろぜろ)
かいしゃ	０３－３２９２－６５２１ (ぜろさん・さんにきゅうに・ろくごにいち)

2-3.

11……じゅういち
12……じゅうに
13……じゅうさん
14……じゅうよん／じゅうし
15……じゅうご
16……じゅうろく
17……じゅうなな／じゅうしち
18……じゅうはち
19……じゅうきゅう／じゅうく
20……にじゅう
30……さんじゅう
40……よんじゅう
50……ごじゅう
60……ろくじゅう
70……ななじゅう／しちじゅう
80……はちじゅう
90……きゅうじゅう
100……ひゃく

はじめましょう

はじめましょう

3-1.

1じ　2じ　3じ　4じ　5じ　6じ

7じ　8じ　9じ　10じ　11じ　12じ

3-2.

1) 8じはん　　2) 9じはん 　　3) 12じはん

4) ごぜん 10じ 　　5) ごご 4じ

AM 10:00　　PM 4:00

3-3.

いま なんじですか。

10じはんです。

A　B

4.

1) はじめましょう。
2) おわりましょう。
3) やすみましょう。
4) わかりますか。…はい、わかります。／いいえ、わかりません。
5) みて ください。
6) きいて ください。
7) かいて ください。
8) もう いちど いって ください。
9) なまえ、しけん、しゅくだい
10) れい、しつもん、こたえ
11) －ばん、－ページ

5.

にほんごで なんですか。

けいたいでんわです。

1 わたしは リン・タイです

CD-03

リン・タイ　　　：はじめまして。わたしは リン・タイです。
　　　　　　　　　どうぞ よろしく。

マリー・スミス：わたしは マリー・スミスです。どうぞ よろしく。
　　　　　　　　　リンさん、おくには どちらですか。

リン・タイ　　　：ちゅうごくです。マリーさんは？

マリー・スミス：オーストラリアです。

リン・タイ　　　：そうですか。

1

1. わたしは ［リン・タイ / がくせい / ちゅうごくじん］です。

2. A：ポンさんは ［がくせい / タイじん］ですか。
   B：はい、がくせいです。／はい、そうです。

3. アンさんは ［がくせい / タイじん］じゃ ありません。
   A：アンさんは がくせいですか。
   B：いいえ、がくせいじゃ ありません。

4. ［キムさん / マリーさん］も がくせいです。

5. リンさんは ［にほんごがっこう / ちゅうごく］の がくせいです。

CD-04

1-1.
1) わたしは（リン）です。
2) わたしは（ペルーじん）です。
3) わたしは（エンジニア）です。

1-2. リンさんは がくせいです。　リンさんは ちゅうごくじんです。

1) アラン
　ぎんこういん

れい) リン
　がくせい

2) アン
　エンジニア

3) マリー
　がくせい

4) ホセ
　かいしゃいん

2. リンさんは がくせいですか。

はい、がくせいです。／はい、そうです。

れい) リン
がくせい
ちゅうごくじん

1) ホセ
かいしゃいん
ペルーじん

2) アン
エンジニア
ベトナムじん

3) アラン
ぎんこういん
フランスじん

3-1. リンさんは <u>せんせい</u>じゃ ありません。

　　れい）せんせい
　　　1）フランスじん　　2）エンジニア
　　　3）ベトナムじん　　4）ぎんこういん

3-2.

A：<u>エミ</u>さんは（にほん）じんですか。

はい ↓
B1：はい、（にほん）じんです。

いいえ ↓
B2：いいえ、（にほん）じんじゃ ありません。<u>アメリカ</u>じんです。

A　　B　　れい）エミ　1）リン　2）アラン　3）マリー　4）アン

4-1. <u>リン</u>さんは <u>がくせい</u>です。
　　　<u>マリー</u>さんも がくせいです。

れい）	1)	2)	3)
リン　マリー	キム　イ	すずき　さとう	ホセ　のぐち
がくせい	かんこくじん	せんせい	かいしゃいん

4-2. A：リンさんは がくせいですか。
B：はい、そうです。ナルコさんも がくせいですか。
A：いいえ、わたしは けんきゅういんです。

れい）ナルコ　　1）アン　　2）ホセ　　3）アラン

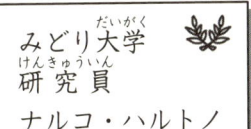

5-1. マリーさんは スバルにほんごがっこうの がくせいです。

れい）
スバル日本語学校
マリー・スミス

1）
みどり大学
研究員
ナルコ・ハルトノ

2）
ITコンピューター
エンジニア
レ・ティ・アン

3）
スバル寮
管理人
岩崎　一郎

4）

5-2.
はじめまして。わたしは（マリー・スミス）です。
（スバルにほんごがっこうの がくせい）です。
どうぞ よろしく おねがいします。

こちらこそ どうぞ
よろしく おねがいします。

マリー　　きむら

1

つかいましょう 1

A：すみません。おなまえは？
B：（ポン）です。
A：おくには どちらですか。
B：（タイ）です。

A　　ポン

なまえ	れい）ポン	1)（　　）さん	2)（　　）さん	3)（　　）さん
くに	タイ			

つかいましょう 2

はじめまして。わたしは（リン・タイ）です。
（ちゅうごく）から きました。
（スバルにほんごがっこう）の がくせいです。
しゅみは（すいえい）です。
どうぞ よろしく おねがいします。

つかいましょう 3

きむらさん、（キム・ヘジョンさん）です。
がっこうの ともだちです。

マリー　　キム

はじめまして。（キム・ヘジョン）です。
どうぞ よろしく おねがいします。

こちらこそ どうぞ よろしく。

きむら

2 それは なんの CDですか

CD-05

リン・タイ　　　：マリーさん、それは なんの CDですか。

マリー・スミス：にほんごの CDです。

リン・タイ　　　：マリーさんの CDですか。

マリー・スミス：いいえ、わたしのじゃ ありません。

リン・タイ　　　：だれの CDですか。

マリー・スミス：キムさんのです。

2

1. ⎡これ⎤ は ノートです。
   ⎢それ⎥
   ⎣あれ⎦

2. A：これは なん ですか。
   B：　　 ボールペン です。

3. A：これは なん の カタログですか。
   B：　　 コンピューター の カタログです。

4. ⎡この⎤ くるまは にほんせいです。
   ⎢その⎥
   ⎣あの⎦

5. A：あの ひとは だれ ですか。
   B：　　 リンさん です。

6. それは ⎡わたしの ほん⎤ です。
   　　　 ⎣わたしの　　　⎦
   　A：それは だれの ほん／ だれの ですか。
   　B：　　 わたしの ほん／わたしの です。

7. A：これは さとうですか、しおですか。
   B：さとうです。

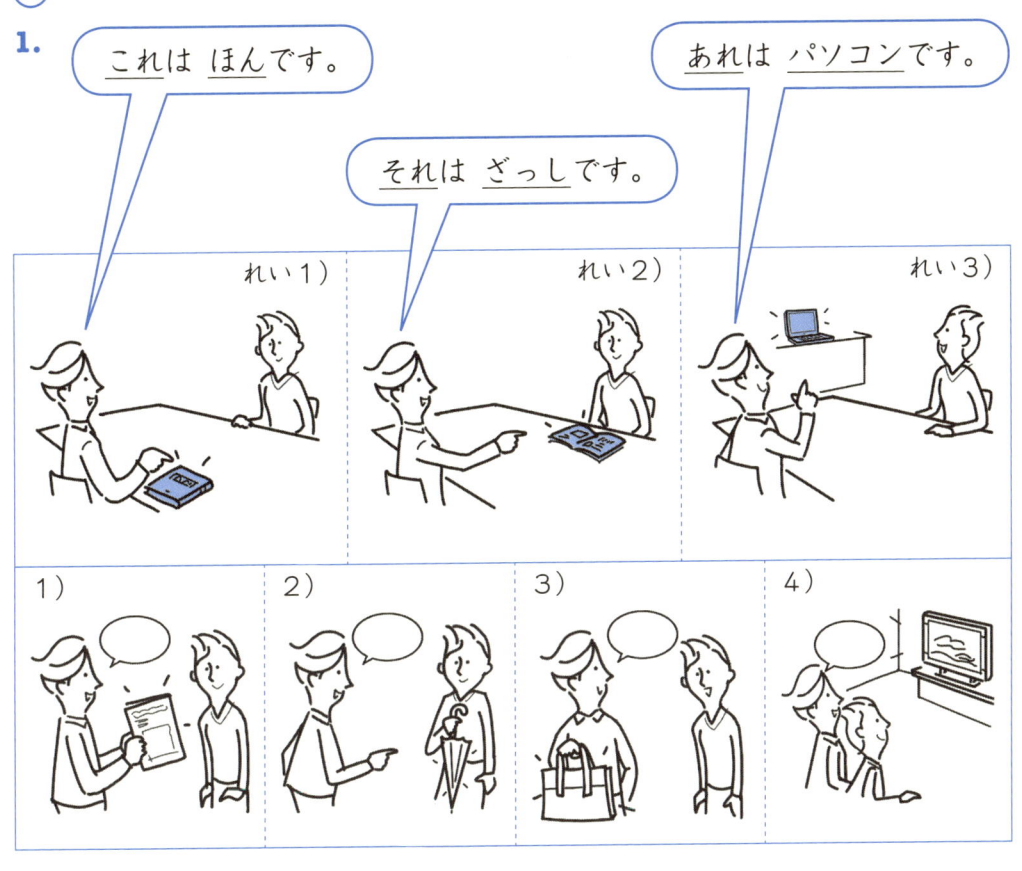

1.

これは ほんです。
それは ざっしです。
あれは パソコンです。

れい1) れい2) れい3)

1) 2) 3) 4)

2-1.

これは なんですか。
さいふです。

れい) 1) 2) 3) 4) 5) 6)

2-2. A：それは <u>さとう</u>ですか。
B：いいえ、これは <u>さとう</u>じゃ ありません。
A：なんですか。
B：<u>しお</u>です。

れい) さとう
1) しょうゆ
2) うどん
3) みず
4) こうちゃ

3. それは なんの カタログですか。

<u>コンピューター</u>の カタログです。

4. <u>この</u> くるまは にほんせいです。

5.

あの ひとは だれですか。

リンさんです。

6-1. P.186

A：これは だれの ノートですか。
B：リンさんの ノートです。

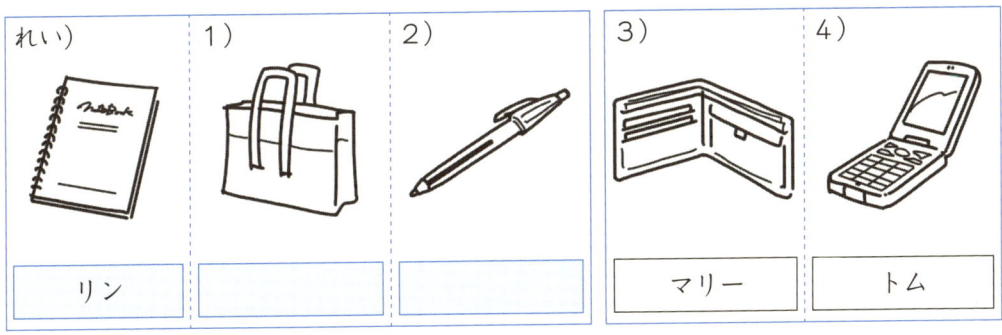

6-2.
A：それは だれのですか。
B：キムさんのです。
A：それも キムさんのですか。
B：いいえ、これは マリーさんのです。
A：そうですか。

7. A：これは 「ス」ですか、「ヌ」ですか。
　　B：(「ス」) です。

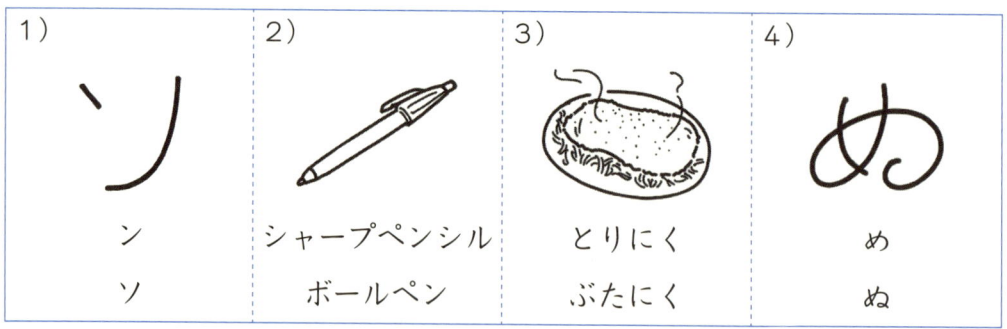

1)	2)	3)	4)
ソ			め
ン	シャープペンシル	とりにく	め
ソ	ボールペン	ぶたにく	ぬ

つかいましょう

A：(B) さん、これは なんですか。
B：ぎゅうどんです。
A：ぎゅうどん？　この にくは なんですか。
B：(ぎゅうにく) です。

れい) ぎゅうどん
1) おやこどん
2) すきやき
3) ラーメン
4) やきにくていしょく

3 ここは ゆりだいがくです

CD-07

ポン・チャチャイ：すみません。ここは みどりだいがくですか。
がくせい　　　：いいえ、ゆりだいがくです。
ポン・チャチャイ：みどりだいがくは どこですか。
がくせい　　　：あそこです。
ポン・チャチャイ：そうですか。どうも。

3

1. ⎡ここ　⎤は　しょくどうです。
   ⎢そこ　⎥
   ⎣あそこ⎦

2. コピーきは ⎡あそこ⎤です。
              ⎣1かい ⎦

   A：コピーきは どこ ですか。
   B：　　　　　 あそこ です。

3. この　パソコンは ⎡ 89,000 えん⎤です。
                    ⎣123,000 えん⎦

   A：この　パソコンは いくら ですか。
   B：　　　　　　　　 89,000 えん です。

4. A：それは どこ の　くるまですか。
   B：　　　 アメリカ の　くるまです。

1-1. ここは うけつけです。

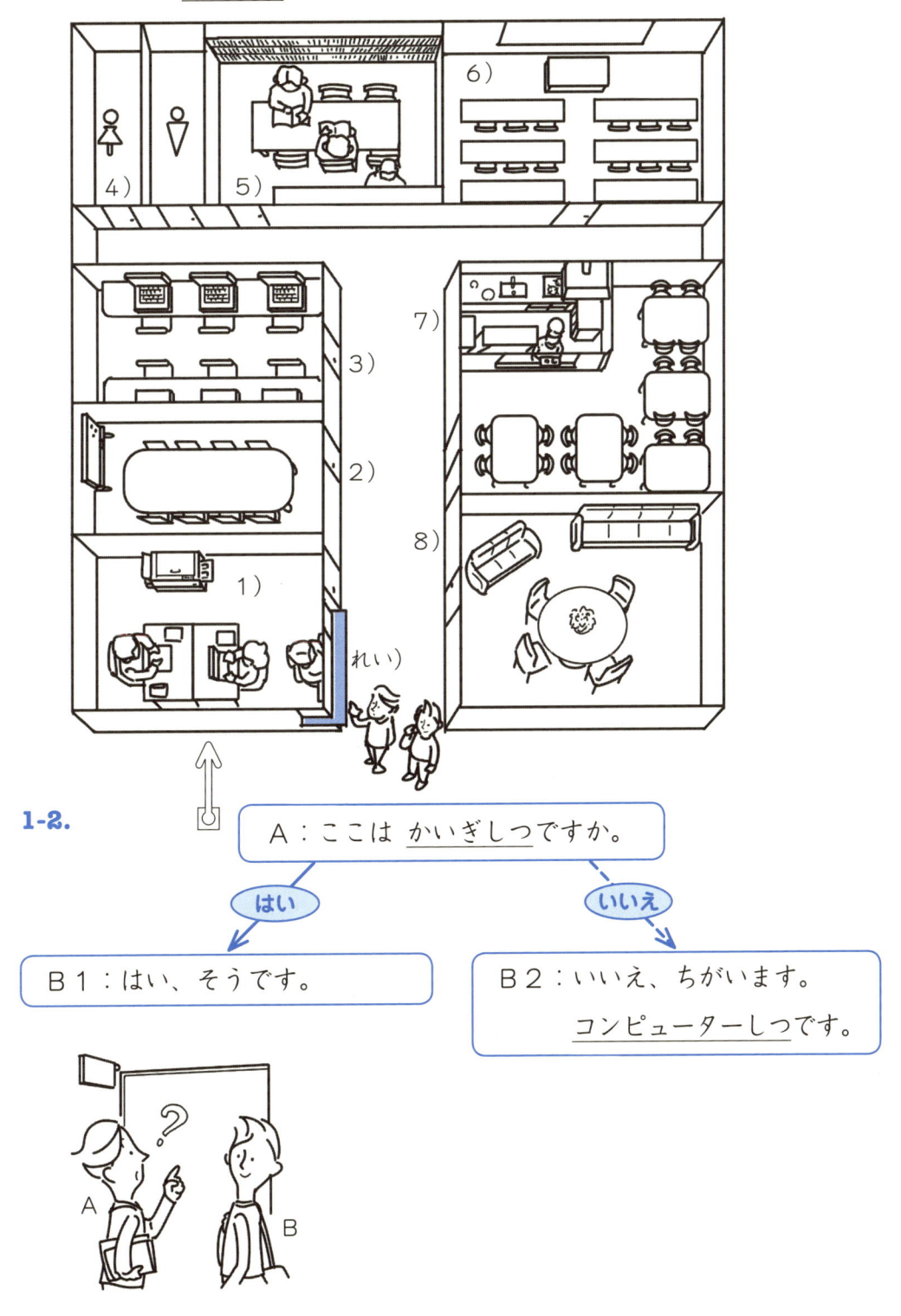

1-2.

A: ここは かいぎしつですか。

はい → B1: はい、そうです。

いいえ → B2: いいえ、ちがいます。コンピューターしつです。

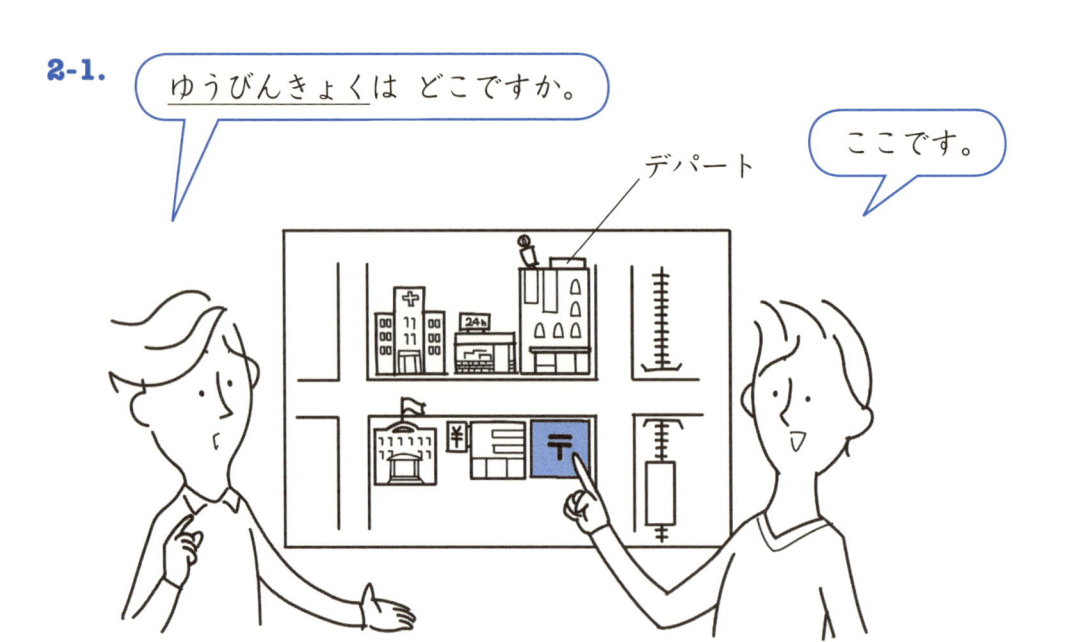

3

2-1. ゆうびんきょくは どこですか。

デパート

ここです。

れい）ゆうびんきょく　　1）びょういん　　2）たいしかん
3）ぎんこう　　4）コンビニ　　5）デパート　　6）えき

2-2. すみません。じしょは どこですか。

あそこです。

A　B

CD　ちず　じしょ

マリー

れい）じしょ　　1）ちず　　2）しんぶん　　3）CD
4）ざっし　　5）コピーき　　6）マリーさん

2-3. 📖❓ P.187

すみません。パソコンは なんがいですか。

れい) 1) 2) 3) 4) 5)

2かいです。

そうですか。どうも。

A　　　　　　　　　　　　　B

3. 📖❓ P.187

この テレビは いくらですか。

25,000 えんです。

じゃ、これを ください。

A　　　　　　　　　　　B　　れい) ￥25,000

1)	2)	3)	4)	5)	6)
			￥197,800	￥1,100	￥63,000

4. A：おいしいですね。これは どこの コーヒーですか。
　　B：ベトナムの コーヒーです。
　　A：そうですか。

れい)	1)	2)	3)	4)
ベトナム	ちゅうごく	フランス	サントリー	ロッテ

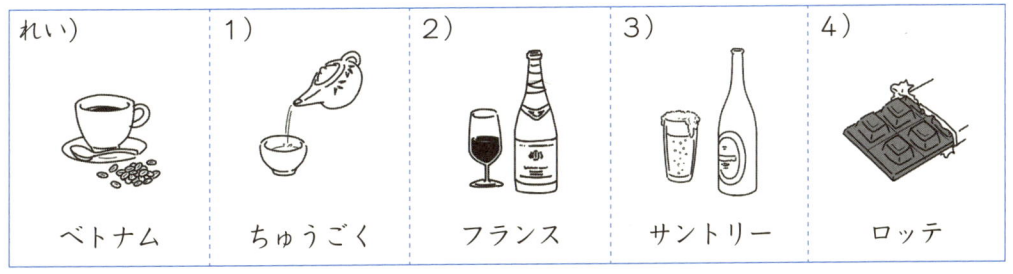

つかいましょう P.188

A: その おちゃは どこのですか。
B: ちゅうごくのです。
A: いくらですか。
B: 190 えんです。

A1: じゃ、それを ください。
A2: そうですか……。

1) とけい
2) パソコン
3) そうじき
4) ポット

れい) ちゅうごく ￥190
5) ￥150 にほん
6) ちゅうごく ￥2,700
7) ￥1,200 ナイキ
8) アメリカ ￥240

れい) おちゃ	ちゅうごく	190 えん
1) とけい		えん
2) パソコン		えん
3) そうじき		えん
4) ポット		えん

4 あした 何を しますか

CD-09

キム　　　：トムさん、あした 何を しますか。
ジョーダン：テニスを します。
キム　　　：そうですか。どこで しますか。
ジョーダン：学校で します。キムさんは？
キム　　　：わたしは うちで 韓国の 映画を 見ます。
ジョーダン：そうですか。

4

1. アンさんは ［ パン / 魚(さかな) ］を 食(た)べます。

   A：アンさんは なに を 食(た)べますか。
   B：　　　　　 パン を 食(た)べます。

2. わたしは コーヒーを ［ のみ / かい ］ません。

   A ：コーヒーを 飲(の)みますか。
   B１：はい、飲(の)みます。
   B２：いいえ、飲(の)みません。

3. わたしは 何(なに)も ［ たべ / のみ ］ません。

4. わたしは ［ コンビニ / スーパー ］で パンを 買(か)います。

   A：　どこ　 で パンを 買(か)いますか。
   B： コンビニ で 買(か)います。

....

① テニスを します。それから、テレビを 見(み)ます。
② パンと 野菜(やさい)を 食(た)べます。

CD-10

1-1. 食べます ❶—❽

1-2. パンを 食べます。

| 1) 食べます 2) 飲みます 3) 見ます 4) 聞きます |
| 5) 読みます 6) 書きます 7) 買います |

1-3. A：何を 食べますか。　　B：(パン) を 食べます。

1-4. A：今晩 何を しますか。
　　　 B：テニスを します。それから、テレビを 見ます。

2-1. 食(た)べません ❶—❽

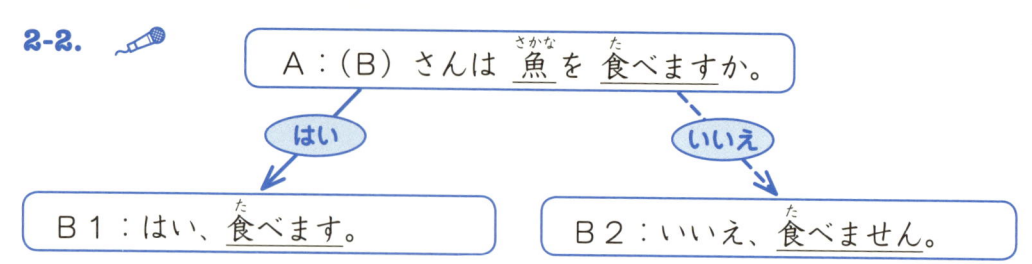

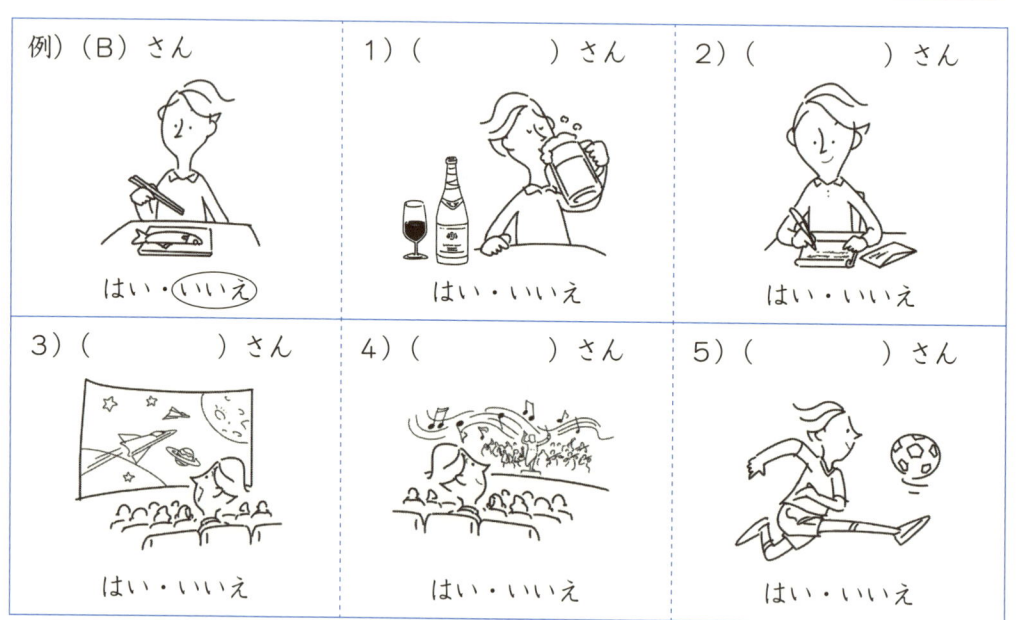

2-2. 🎤

A:(B)さんは 魚(さかな)を 食(た)べますか。

はい → B1:はい、食(た)べます。

いいえ → B2:いいえ、食(た)べません。

例)(B)さん	1)(　　　)さん	2)(　　　)さん
はい・(いいえ)	はい・いいえ	はい・いいえ
3)(　　　)さん	4)(　　　)さん	5)(　　　)さん
はい・いいえ	はい・いいえ	はい・いいえ

3. わたしは 何(なに)も 食(た)べません。

4-1. 銀行で お金を 下ろします。

例) 1) 2)
3) 4) 5)

4-2. A：いつも どこで 昼ご飯を 食べますか。
B：(学生食堂) で 食べます。(A) さんは？
A：わたしは (レストラン) で 食べます。

例) 昼ご飯を 食べます　　1) パンを 買います
2) 宿題を します　　　　3) お金を 下ろします

使いましょう

質問	例）(B) さん	(　　) さん
1) 毎朝 何を 食べますか。	パン、卵、野菜	
2) コンビニで 何を 買いますか。	雑誌、お弁当	
3) 料理を しますか。	時々 します	
4) どこで 宿題を しますか。	うち	

(B) さんは 毎朝 パンと 卵と 野菜を 食べます。
コンビニで 雑誌と お弁当を 買います。
時々 料理を します。うちで 宿題を します。

(　　　　　) さんは

5 シドニーは 今 何時ですか

CD-11

キム：シドニー日本語学校の 皆さん、おはよう ございます。
学生：おはよう ございます。
キム：シドニーは 今 何時ですか。
学生：12時半です。
キム：毎日 日本語を 勉強しますか。
学生：はい、毎日 10時から 12時まで 勉強します。
キム：今日 何を 勉強しましたか。
学生：会話と 漢字を 勉強しました。
キム：そうですか。

5

1. 今 8時15分です。
    A：今 | なんじ | ですか。
    B： | 8じ15ふん | です。

2. わたしは 毎朝 7時半に 起きます。
    A：リンさんは | なんじ | に 起きますか。
    B： | 7じはん | に 起きます。

3. わたしは 月曜日から 金曜日まで 勉強します。
    学校は 9時から 12時40分までです。

4. わたしは 昨日 ［カメラを かい／映画を み］ました。

5. わたしは 昨日 ［新聞を よみ／べんきょうし］ませんでした。

かいます	かいません	かいました	かいませんでした
します	しません	しました	しませんでした

① 12時ごろ 寝ました。

CD-12

1-1. 1時　P.153　　**1-2.** 1分　P.153

1-3. 9時10分です。

例) 9:10　　1) 5:15　　2) 8:20

3) 4:45　　4) 9:30

9:10

1-4. 📖 P.189

A: もしもし ロンドンは 今 何時ですか。
B: 午後 11時です。

例) ロンドン 23:00
1) ペキン
2) とうきょう
3) シカゴ
4) ニューヨーク
5) カイロ 1:00
6) バンコク 6:00
7) シドニー 9:00
8) サンパウロ 21:00

2. リンさんは 7時20分に 起きます。

例) 7:20　1) 23:30　2) 5:00　3) 21:00　4) (　)　5) (　)

リン　　　木村　　　わたし

3-1. マリーさんは 8時から 11時まで 勉強します。

例)8:00—11:00	1)9:30—19:00	2)9:00—17:00	3)16:00—17:00
マリー	ナルコ	アラン	リン

3-2. A:(B)さん、毎朝 何時に 起きますか。
B:(7時半)に 起きます。

	Bさん	(　　)さん
例)毎朝・起きます	7:30	:
1)毎晩・勉強します	: — :	: — :
2)インターネットを します	: — :	: — :
3)テレビを 見ます	: — :	: — :
4)寝ます	:	:

3-3. 銀行は 9時から 3時までです。

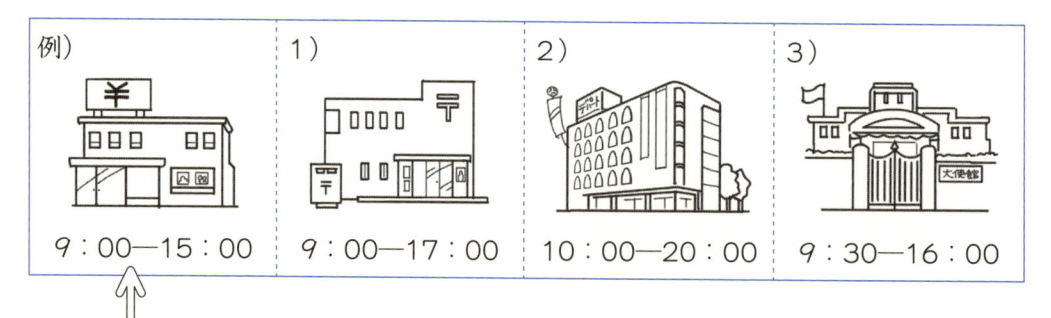

例)	1)	2)	3)
9:00—15:00	9:00—17:00	10:00—20:00	9:30—16:00

3-4. A:(B)さんの 国の 銀行は 何時から 何時までですか。
B:(9時)から (3時)までです。

3-5. P.189

A: すみません。映画は 何時からですか。
B: 11時からです。
A: 何時に 終わりますか。
B: 1時30分に 終わります。
A: そうですか。どうも。

例) 映画	11:00 – 13:30	3) 説明会	10:30 – 12:00
1) コンサート			
2) テニス教室		4) 料理教室	14:00 – 16:00

4-1. 食べました ❶―⓰

4-2. わたしは 先週の 日曜日 映画を 見ました。

例) にちようび
1) げつようび
2) かようび
3) すいようび
4) もくようび
5) きんようび
6) どようび

5-1. 食べませんでした ❶—⓰

5-2. 🎤

A：(B) さん、昨日 宿題を しましたか。

　　はい → B1：はい、しました。
　　いいえ → B2：いいえ、しませんでした。

例） 宿題を します	はい・⦅いいえ⦆
1） 文法の 本を 読みます	はい・いいえ
2） 日本語の CDを 聞きます	はい・いいえ
3） 会話を 練習します	はい・いいえ

使いましょう 1

わたしは 昨日 朝 7時に 起きました。9時から 12時半まで 学校で 勉強しました。食堂で 昼ご飯を 食べました。定食を 食べました。午後 スーパーで アルバイトを しました。8時に 晩ご飯を 食べました。それから、宿題を しました。12時ごろ 寝ました。

わたしは（　　　　　　　　　　　　　　　）

使いましょう 2 P.190

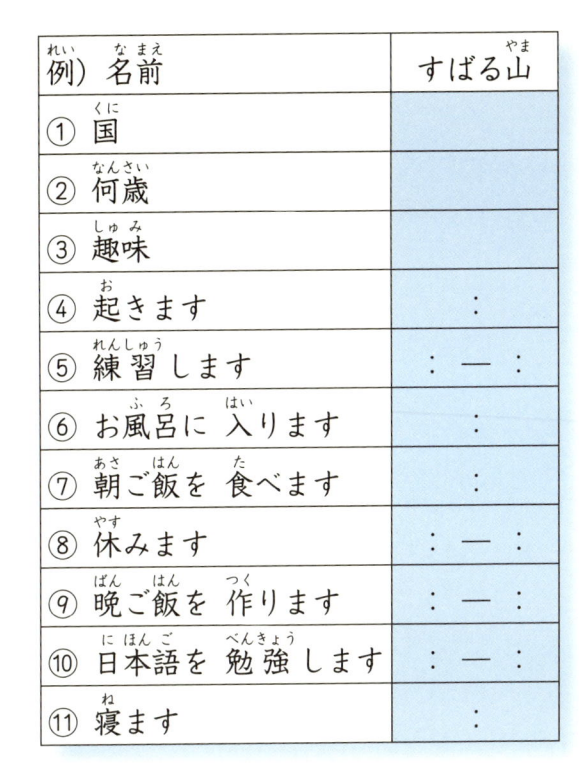

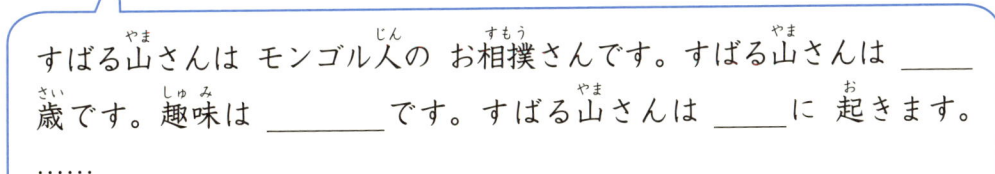

お名前は？

すばる山です。

A　B

例) 名前	すばる山
① 国	
② 何歳	
③ 趣味	
④ 起きます	：
⑤ 練習します	：—：
⑥ お風呂に 入ります	：
⑦ 朝ご飯を 食べます	：
⑧ 休みます	：—：
⑨ 晩ご飯を 作ります	：—：
⑩ 日本語を 勉強します	：—：
⑪ 寝ます	：

すばる山さんは モンゴル人の お相撲さんです。すばる山さんは ＿＿＿＿ 歳です。趣味は ＿＿＿＿＿＿ です。すばる山さんは ＿＿＿＿ に 起きます。……

5

6 京都へ 行きます

CD-13

田中　：マリーさん、今度の 週末 何を しますか。
スミス：京都へ 行きます。
田中　：いいですね。わたしも 高校生の とき、行きました。
　　　　京都で 何を しますか。
スミス：友達に 会います。それから、お寺で 日本料理を 食べます。
田中　：いつ 帰りますか。
スミス：日曜日の 夜 帰ります。

1. わたしは ［ロンドン／銀行］へ 行きます。

　A：午後 ［どこ］へ 行きますか。

　B：［ぎんこう］へ 行きます。

2. わたしは ［3月30日に／去年］ 日本へ 来ました。

　A：リンさんは ［いつ］ 日本へ 来ましたか。

　B：［3がつ30にちに］ 来ました。

3. わたしは バスで 大使館へ 行きます。

　A：リンさんは ［なん］で 大使館へ 行きますか。

　B：［バス］で 行きます。

4. わたしは 田中さんと 病院へ 行きます。

　A：リンさんは ［だれ］と 病院へ 行きますか。

　B：［たなかさん］と 行きます。

5. A　：一緒に ［昼ご飯を　たべ／ジョギングを　し］ませんか。

　B1：ええ、いいですね。

　B2：すみません。ちょっと……。

① どこへも 行きませんでした。

CD-14

1-1. アメリカへ 行きます。

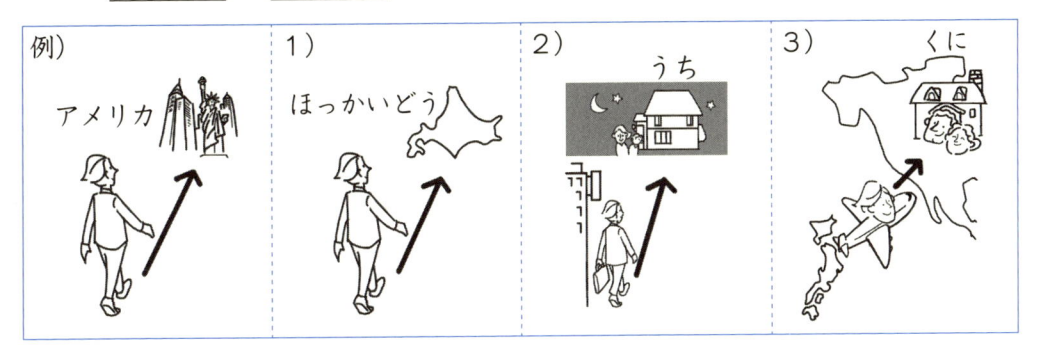

| 例) アメリカ | 1) ほっかいどう | 2) うち | 3) くに |

1-2. P.191

A: 月曜日 どこへ 行きましたか。
B: 郵便局へ 行きました。

月	例) 郵便局
火	1)
水	2)
木	3)

月	例)
金	4)
土	5)
日	6) ( )

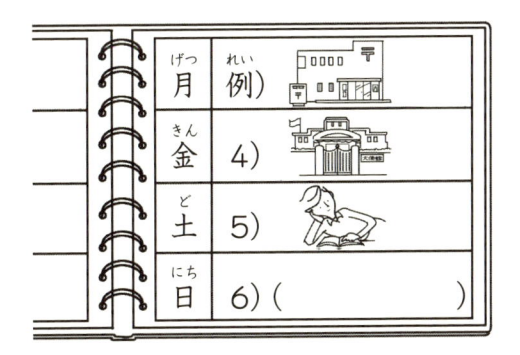

2-1. A:(B)さん、誕生日は いつですか。 B:(3月4日)です。

(B) さん	( ) さん	( ) さん	( ) さん
例) 3／4	1)	2)	3)

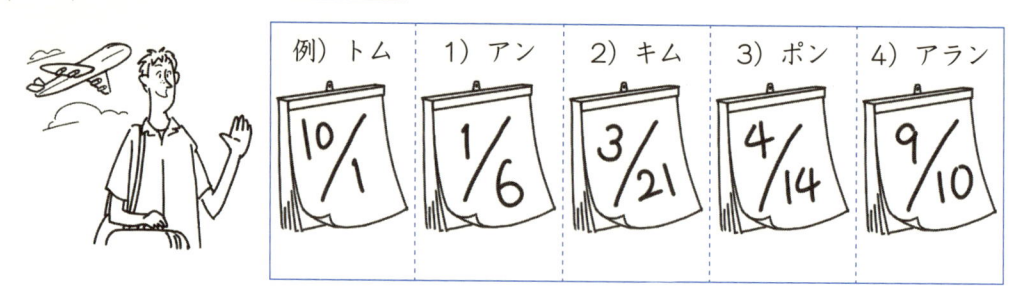

2-2. トムさんは 10月1日に 日本へ 来ました。

例) トム 10/1　1) アン 1/6　2) キム 3/21　3) ポン 4/14　4) アラン 9/10

2-3. A：いつ 大使館へ 行きますか。
B：4月26日に 行きます。
例) 4/26　1) あさって　2) 来週
3) 来月　4) 午後 3時

2-4. A：(B)さん、お国は どちらですか。
B：(中国)です。(ペキン)から 来ました。
A：いつ 日本へ 来ましたか。
B：(3月30日に/去年) 来ました。

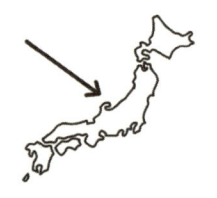

例)(B)さん	中国	3/30
1)（　　）さん		
2)（　　）さん		
3)（　　）さん		

3-1. トムさんは 飛行機で 北海道へ 行きます。

例) トム　1) マリー　2) アラン　3) キム　4) ポン　5) リン

3-2. 🎤 A：(B)さん、何で 学校へ 来ますか。
　　　　 B：(地下鉄で) 来ます。

(B)さん	（　）さん	（　）さん	（　）さん
例) 地下鉄	1)	2)	3)

4-1. A：だれと スーパーへ 行きましたか。
　　　　 B：友達と 行きました。

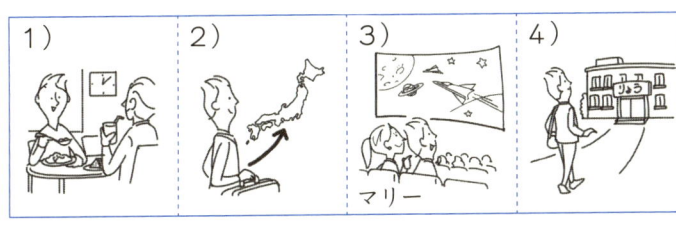

1)　2)　3) マリー　4)

A　B

4-2.

わたしは 週末 (動物園)へ 行きました。(友達と)(電車)で 行きました。(動物園で パンダを 見ました。)(動物園の レストランで カレーと サラダを 食べました。)(9時ごろ うちへ 帰りました。)

5.

A：一緒に お茶を 飲みませんか。

はい → B1：ええ、いいですね。
いいえ → B2：すみません。ちょっと……。

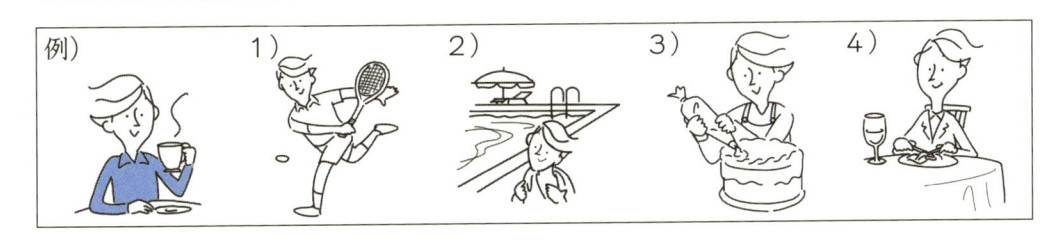

例)　1)　2)　3)　4)

使いましょう

A：夏休み 何を しますか。
B：友達と 大阪へ 行きます。
A：いいですね。何で 行きますか。
B：(バスで) 行きます。
A：大阪で 何を しますか。
B：(大阪城を 見ます)。(A) さんは？
A：わたしは (名古屋へ 行きます)。
B：そうですか。

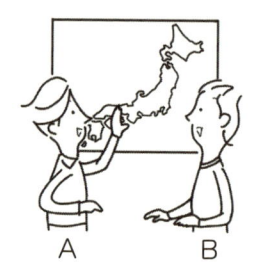

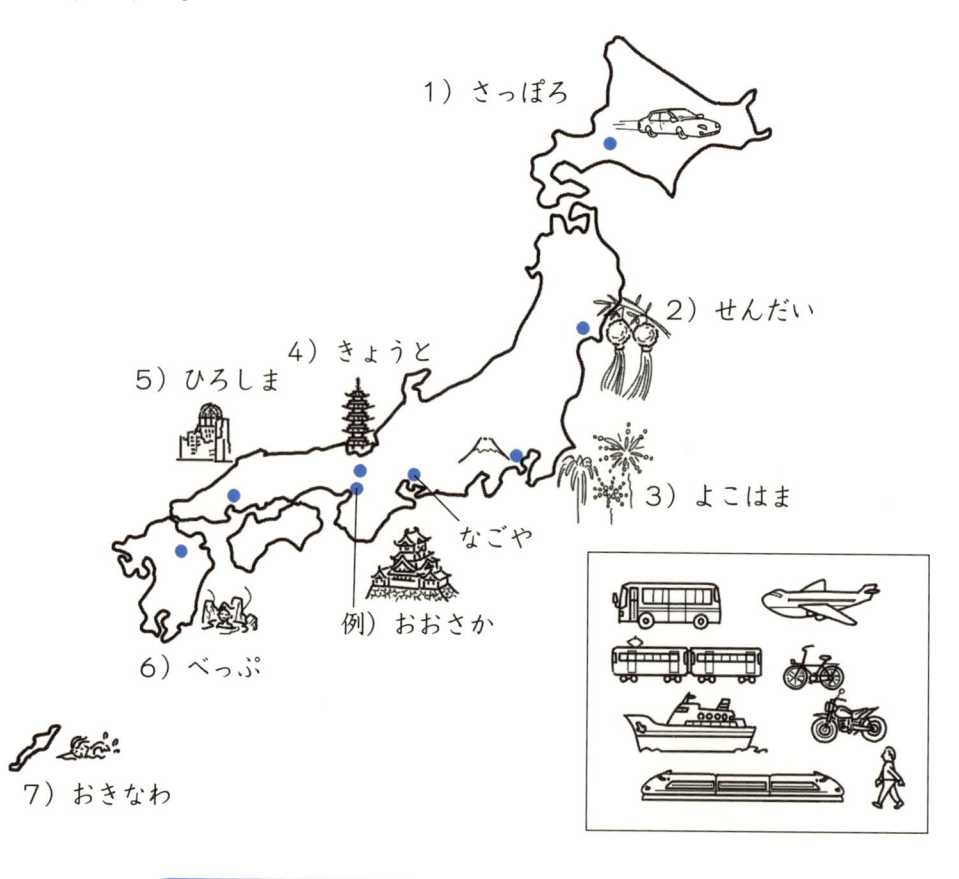

1) さっぽろ
2) せんだい
3) よこはま
4) きょうと
5) ひろしま
6) べっぷ
7) おきなわ
例) おおさか
なごや

(B) さんは 夏休み (友達と バスで 大阪へ) 行きます。
(大阪で 大阪城を 見ます。)
わたしは (名古屋へ 行きます)。

まとめ1　(1—6)

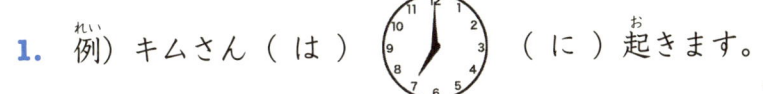

1. 例) キムさん (は) 🕘 (に) 起きます。

1) 🍞 ( ) 🍎 ( ) 食べます。

　　　☕ ( ) 飲みます。

2) 🚌 ( ) 🏫 ( ) 行きます。

3) 🕘 ( ) 🕛 ( ) 勉強します。

4) 午後 ( ) 🎾 ( ) します。

5) スーパー ( ) 🥛 ( ) 買います。

6) 🏠 ( ) 📺 ( ) 見ます。

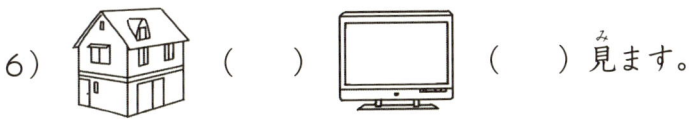

7) 🕘 ( ) 寝ます。

2. 何曜日ですか。

例) 1) 2) 3) 4) 5) 6)

3.

たべます	1)	2)	3)
4)	のみません	5)	6)
7)	8)	かいました	9)
10)	11)	12)	きませんでした

4.

きのう	1)	2)
3)	4)	らいしゅう
せんげつ	こんげつ	5)
6)	7)	らいねん

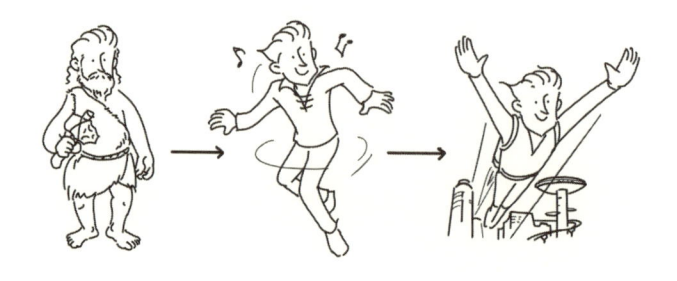

7 きれいな 写真ですね

CD-15

リン　：マリーさん、きれいな 写真ですね。どこの 写真ですか。
スミス：シドニーの 写真です。
リン　：この 白い 建物は 何ですか。
スミス：オペラハウスです。とても 有名な 建物です。
リン　：シドニーは どんな ところですか。
スミス：きれいな ところです。そして、とても にぎやかな ところです。
リン　：そうですか。

7

1. この パソコンは [あたらしい / べんり] です。

　　A：この パソコンは [どう] ですか。
　　B：　　　　　　　　[べんり] です。

2. ポンさんの 部屋は [ひろくないです。 / きれいじゃ ありません。]

3. 富士山は [たかい / ゆうめいな] 山です。

　　A：富士山は [どんな] 山ですか。
　　B：　　　　[たかい] 山です。

い形容詞	ひろいです	ひろくないです	ひろい へや
	*いいです	よくないです	いい へや
な形容詞	しずかです	しずかじゃ ありません	しずかな へや

4. A：リンさんの かばんは [どれ] ですか。
　　B：　　　　　　　　　[それ] です。その 大きい かばんです。

① 漢字は あまり 難しくないです。
② わたしの アパートは 広いです。そして、きれいです。
③ わたしの アパートは 広いですが、きれいじゃ ありません。
④ きれいな 写真ですね。

1-1. 大きいです ㊾—㊈

1-2. この パソコンは 高いです。

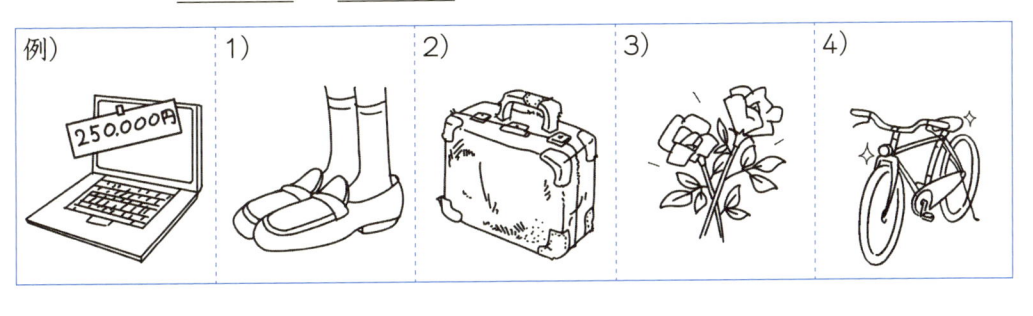

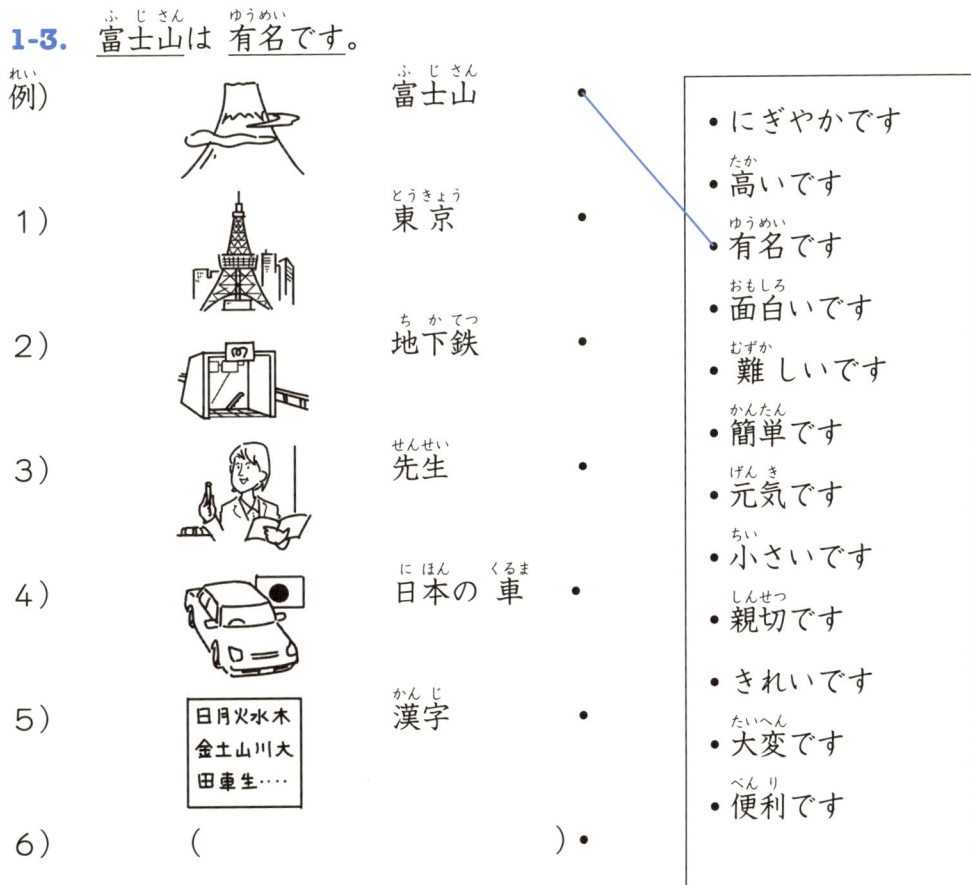

例)	1)	2)	3)	4)

1-3. 富士山は 有名です。

例) 富士山 — 有名です

1) 東京
2) 地下鉄
3) 先生
4) 日本の 車
5) 漢字
6) (　　　)

- にぎやかです
- 高いです
- 有名です
- 面白いです
- 難しいです
- 簡単です
- 元気です
- 小さいです
- 親切です
- きれいです
- 大変です
- 便利です

2-1. 大きくないです
　　　元気じゃ ありません ㊾—㊈

7

2-2. 🎤 A：宿題は（大変です）か。
　　　　　B：(いいえ、あまり 大変じゃ ありません。)

◎はい、とても〜　　○はい、〜　　△いいえ、あまり〜　　×いいえ、〜	
例）宿題は（大変です）か。	△
1）勉強は（　　　　　　　　　　　　　　　　）か。	
2）学校は（　　　　　　　　　　　　　　　　）か。	
3）友達は（　　　　　　　　　　　　　　　　）か。	
4）（　　　　　　　　　　　　　　　　　　　）か。	

2-3.　A：(B) さん、(B) さんの アパートは どうですか。

B1：(広いです)。
　　そして、(きれいです)。

B2：(広いです) が、
　　(きれいじゃ ありません)。

　　　例）(B) さんの アパート　1）日本の アニメ　2）日本の 食べ物
　　　3）日本の 生活　4）（　　　　）

3-1.　バドミントンは（楽しい）スポーツです。
　　　1）桜は（　　　　）花です。
　　　2）バナナは（　　　　　）果物です。
　　　3）マリーさんの パソコンは
　　　　（　　　　　　　）パソコンです。
　　　4）京都は（　　　　　）町です。
　　　5）わたしの 国は（　　　　　）国です。

| 楽しいです　・　いいです　・　おいしいです　・　きれいです　・ |
| 有名です　・　大きいです　・　（　　　　　　　） |

3-2. A：昨日 携帯電話を 買いました。
B：どんな 携帯電話ですか。
A：(小さい) 携帯電話です。

例) 携帯電話　　1) 自転車　　2) 掃除機
3) ゲームソフト　　4) (　　　　)

3-3. (おいしい) ケーキを 食べました。

4. A：(B) さんの かばんは どれですか。
B：それです。その (小さい) かばんです。
A：これですか。
B：はい、そうです。

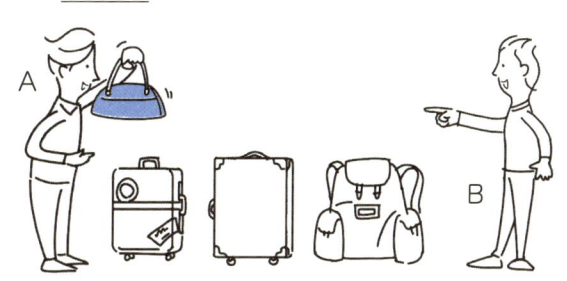

7 使いましょう

1.

	例) テレサさんの国	わたしの国	(　　　)さんの国
1) お国は どちらですか。	オーストリア		
2) どんな 国ですか。	小さい 国 きれいな 国		
3) いちばん きれいな ところは どこですか。	ウィーン		
4) いちばん おいしい ものは 何ですか。	チョコレート		
5) いちばん 有名な ものは 何ですか。	音楽		

2.

　わたしの 国は (オーストリア) です。
(オーストリア) は (小さい 国ですが、とても きれいな) 国です。
いちばん きれいな ところは (ウィーン) です。
いちばん おいしい ものは (チョコレート) です。
いちばん 有名な ものは (音楽) です。

　　　　　　　わたしの 国
　わたしの 国は ……………………………………
………………………………………………………………
………………………………………………………………

8 富士山は どこに ありますか

CD-17

チャチャイ：先生、富士山は どこに ありますか。
鈴木　　：ここです。
チャチャイ：東京から あまり 遠くないですね。
　　　　　　先生は 富士山へ 行きましたか。
鈴木　　：ええ。去年 友達と 行きました。
チャチャイ：そうですか。
鈴木　　：動物が たくさん います。
チャチャイ：へえ。
鈴木　　：山の 上に お土産の 店や 食堂が あります。
　　　　　　郵便局も ありますよ。
チャチャイ：そうですか。

8

1. あそこに ［スーパー／地図] が あります。

   あそこに ［田中さん／犬] が います。

   A：あそこに なに が ありますか。
   B：　　　ちず が あります。

2. 駅の ［前／隣] に 銀行が あります。

3. リンさんは ［ロビー／食堂] に います。

   A：リンさんは どこ に いますか。
   B：　　　ロビー に います。

4. あそこに 学生が ［4人／11人] います。

   A：あそこに 学生が なんにん いますか。
   B：　　　4にん います。

5. 一緒に ［うたい] ましょう。

....

① 花屋の 隣に ありますよ。
② 花屋の 隣ですね。
③ 町に 古い 教会や きれいな 公園が あります。

CD-18

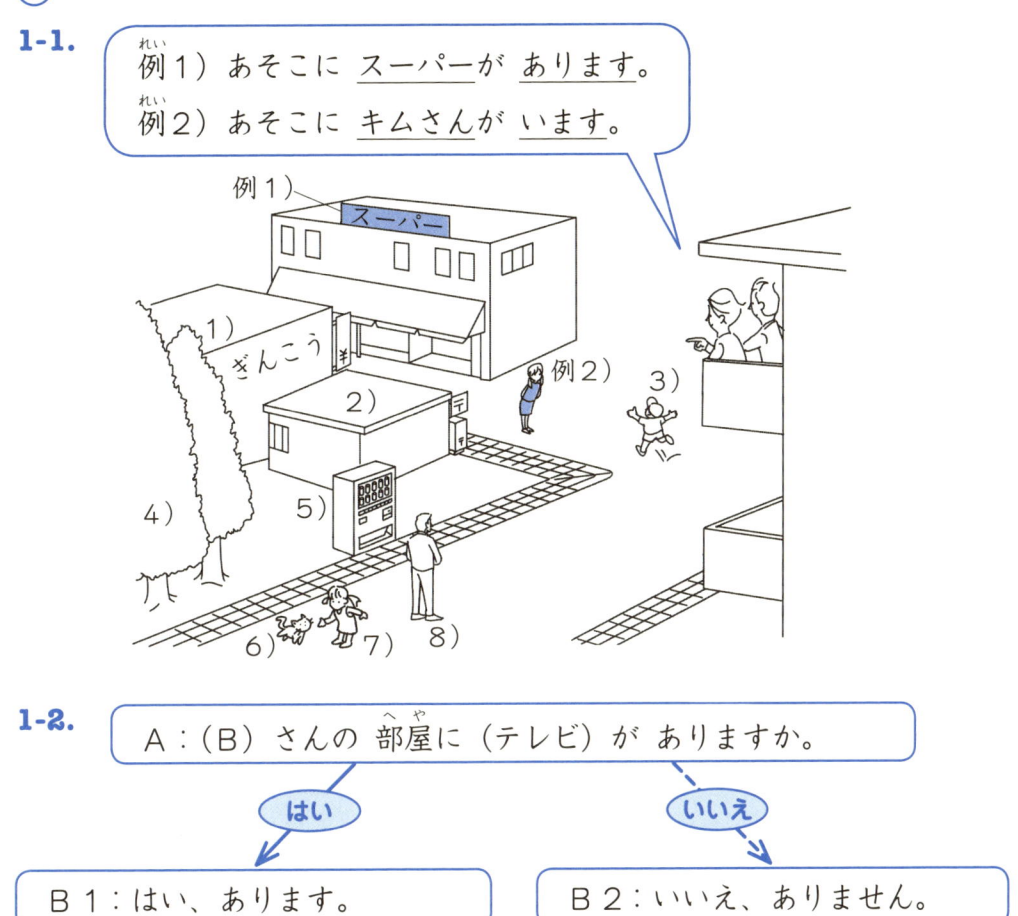

1-1.
例1) あそこに スーパーが あります。
例2) あそこに キムさんが います。

1-2.
A：(B)さんの 部屋に (テレビ)が ありますか。
　はい → B1：はい、あります。
　いいえ → B2：いいえ、ありません。

2-1. 車の 横に 自転車が あります。

2-2. A：テレビの 後ろに 何が ありますか。
　　　 B：お金が あります。

3-1. 交番は 花屋の 隣に あります。

例）交番　1）図書館　2）本屋　3）コンビニ
4）バス停　5）パン屋　6）ポスト　7）トイレ

3-2. A：すみません。(交番) は どこですか。
　　　 B：(交番) ですか。(花屋の 隣) に ありますよ。
　　　 A：(花屋の 隣) ですね。どうも ありがとう ございました。

3-3. P.191

A: 電話は どこに ありますか。
B: 自動販売機の 横に あります。

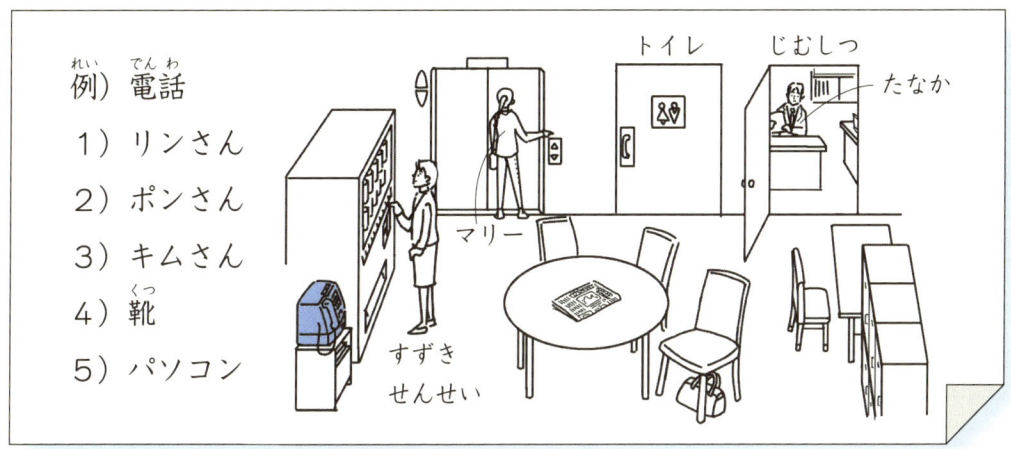

例) 電話
1) リンさん
2) ポンさん
3) キムさん
4) 靴
5) パソコン

トイレ　じむしつ　たなか　マリー　すずき せんせい

4-1. 公園に 女の 人が 2人 います。

4-2. A: 中国の 学生は 何人 いますか。
B: 85人 います。

スバル日本語学校の 学生	
例) 中国	85人
1) 韓国	44
2) タイ	31
3) オーストラリア	8
4) カナダ	5

5. 一緒に 歌いましょう。
　　例) 歌います　　1) 飲みます
　　2) 食べます　　3) 踊ります　　4) 帰ります

使いましょう 1

A：もしもし (B) さん、あした 暇ですか。
B：ええ。
A：じゃ、あした (海) へ 行きませんか。
B：いいですね。行きます。どこで 会いますか。
A：ええと。(みどり駅の 西口) に (花屋) が あります。
　　(10時) に (花屋の 前) で 会いましょう。
B：分かりました。じゃ、また あした。

使いましょう 2

わたしの うちは (カナダの 小さい 町) に あります。
町に (古い 教会) や (きれいな 公園) が あります。
町の 近くに (大きい 湖) が あります。わたしは
子供の とき、(友達と 釣りを し) ました。

わたしの うち は _____

9 どんな スポーツが 好きですか

CD-19

木村　　：ホセさんは 暇な とき、どんな テレビ番組を 見ますか。
カルロス：スポーツ番組を 見ます。
木村　　：どんな スポーツが 好きですか。
カルロス：サッカーが 好きです。木村さんは サッカーを 見ますか。
木村　　：いいえ、全然 見ません。ルールが 分かりませんから。
カルロス：そうですか。面白いですよ。

1. わたしは ［映画 / 果物］が 好きです。

2. わたしは ［韓国語 / 先生の 説明］が 分かります。

3. ［かんたんです / べんきょうしました］から、分かります。

4. A：どうして 大きい ケーキを 買いますか。
   B：リンさんの たんじょうびです から。

① 時間が あります。

9

CD-20

1-1. わたしは 果物(くだもの)が 好きです。

例) 1) 2) 3) 4) 5) ( )

1-2. A: 甘(あま)い ものが 好きですか。　　B:(いいえ、嫌(きら)いです。)

	○はい、～	△いいえ、あまり～		×いいえ、～	
	(B)さん	( )さん		( )さん	( )さん
例) 甘(あま)い もの	×		3) 猫(ねこ)		
1) 野菜(やさい)			4) 掃除(そうじ)		
2) 漫画(まんが)			5) ( )		

1-3.

A:(B)さんは どんな スポーツが 好きですか。
B:(テニス)が 好きです。

A1:そうですか。わたしも 好きです。
B :じゃ、今度(こんど) 一緒(いっしょ)に
　　(し)ませんか。
A1:いいですね。

A2:そうですか。
　　わたしは
　　(サッカー)が
　　好きです。

例) 1)  2)  3)

9

1-4.

A：(B)さんの(お姉さん)は 料理が 上手ですか。

→ はい
B1：はい、上手です。
A1：どんな 料理を 作りますか。
B1：(魚の 料理)を 作ります。

→ いいえ
B2：いいえ、上手じゃ ありません。
A2：そうですか。

例) 料理　1) 絵　2) 歌
3) ゲーム　4) (　　　)

2-1. わたしは スペイン語が 分かります。

例)
Te quiero
Je t'aime
我愛你
사랑해요
I love you
ANH YÊU EM
ฉันรักเธอ

2-2. 🎤 A：(B)さんは 片仮名が 分かりますか。
B：いいえ、あまり 分かりません。

	(　　　)さん
例) 片仮名	よく・だいたい・少し・(あまり)・全然
1) 駅の アナウンス	よく・だいたい・少し・あまり・全然
2) 先生の 説明	よく・だいたい・少し・あまり・全然
3) 野球の ルール	よく・だいたい・少し・あまり・全然

3-1. <u>魚が 好きですから</u>、<u>毎日 食べます</u>。

例)	1)	2)	3)

3-2. 例) 雨ですから、・　　　　　・漢字が 少し 分かります。
　　　 1) 国で 勉強しましたから、・　・テニスを しません。
　　　 2) 日本語が 上手ですから、・　・説明会で 通訳を します。
　　　 3) 注射が 嫌いですから、・　　・日本へ 来ました。
　　　 4) 時間が ありませんから、・　・病院へ 行きません。
　　　 5) 日本の アニメが 好きで
　　　 　　すから、　　　　　　　・　・デートを しません。

4-1. A：どうして 今日 早く 帰りますか。
　　　 B：(約束が あります) から。

　　　 例) 今日 早く 帰ります　　1) 漫画を 読みます　　2) 眠いです
　　　 3) あの 人が 好きです　　4) 昼ご飯を 食べません

4-2. 🎤
　　　 A：<u>山登り</u>が 好きですか。
　　　 B：ええ、好きですが、
　　　 　　あまり (し) ません。
　　　 A：どうしてですか。
　　　 B：(毎日 忙しいです) から。
　　　 A：そうですか。残念ですね。

例)　　1)
2) にほんの ドラマ　3)

(B)さんは (山登り) が 好きですが、
(毎日 忙しいです) から、あまり (し) ません。

使いましょう P.192

9

A：(B)さん、いい 人が いませんか。
B：じゃ、お見合いしませんか。
　　さゆりさんは どうですか。
A：そうですね。ご家族は？
B：お母さんと 弟さんが 1人 います。
A：さゆりさんは 何歳ですか。
B：25歳です。ピアノの 教師です。
A：そうですか。
B：さゆりさんは 旅行が 好きですよ。
　　どうですか。

例）さゆり
母・弟 1人、
25歳、
ピアノの 教師、
旅行が 好き

A1：いいですね。よろしく お願いします。

A2：うーん、ちょっと……。

例）さゆりさん
25歳
家族：父・㊍・
兄　（　）人
姉　（　）人
弟　（１）人
妹　（　）人
ピアノの 教師
旅行が 好き

_____さん
_____歳
家族：父・母・
兄　（　）人
姉　（　）人
弟　（　）人
妹　（　）人

_____さん
_____歳
家族：父・母・
兄　（　）人
姉　（　）人
弟　（　）人
妹　（　）人

10 わたしは 渡辺さんに お茶を 習いました

CD-21

キム　　　：トムさん、その お茶は どうですか。
ジョーダン：おいしいです。わたしは 初めて 飲みました。
　　　　　　日本で 習いましたか。
キム　　　：はい、渡辺さんに 習いました。
ジョーダン：そうですか。
キム　　　：わたしは 渡辺さんに 韓国の 料理を 教えました。
ジョーダン：キムさんと 渡辺さんは いい 友達ですね。

10

1. わたしは ［友達 / キムさん］に 傘を 貸しました。
   A：リンさんは だれ に 傘を 貸しましたか。
   B：　　　　 キムさん に 貸しました。

2. わたしは ［マリーさん / 母］に 辞書を 借りました。
   A：リンさんは だれ に 辞書を 借りましたか。
   B：　　　　 マリーさん に 借りました。

3. りんごを 7つ 買いました。
   A：りんごを いくつ 買いましたか。
   B：　　　　 ななつ 買いました。

4. はしで すしを 食べます。
   日本語で 手紙を 書きます。
   A： なん で すしを 食べますか。
   B： はし で 食べます。

....

① わたしは コーヒーと ケーキに します。

CD-22

1-1. わたしは キムさんに プレゼントを あげます。

例) キムさん
1) 友達
2) 先輩
3) 渡辺さん

に

を

あげます。
貸します。
教えます。

1-2. わたしは 友達に メールを 送りました。

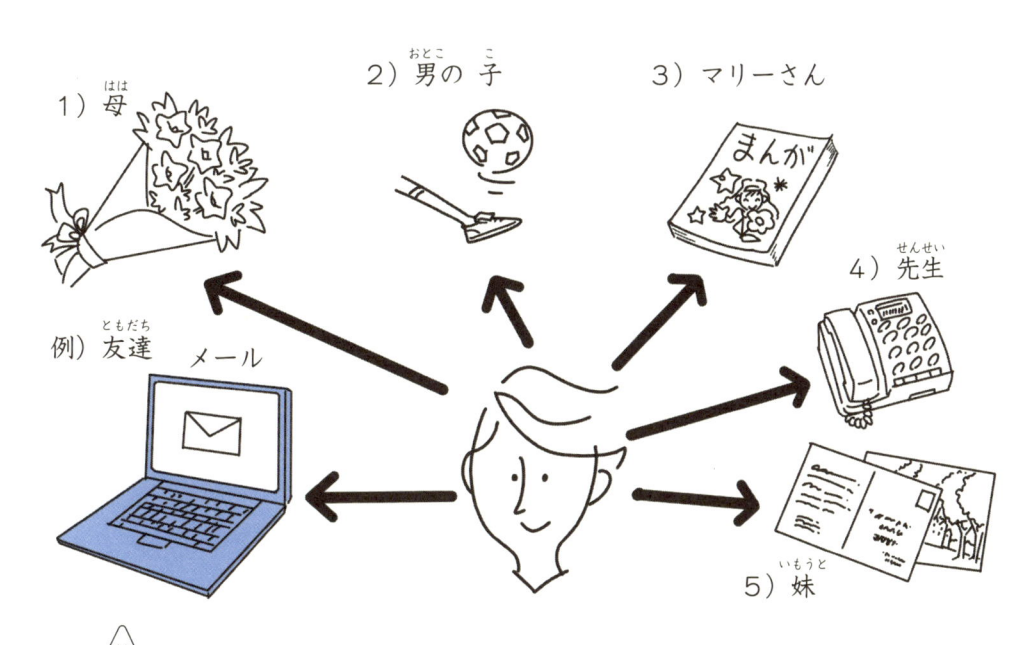

1) 母
2) 男の子
3) マリーさん
4) 先生
5) 妹
例) 友達　メール

1-3. A: だれに メールを 送りましたか。
B: 友達に 送りました。

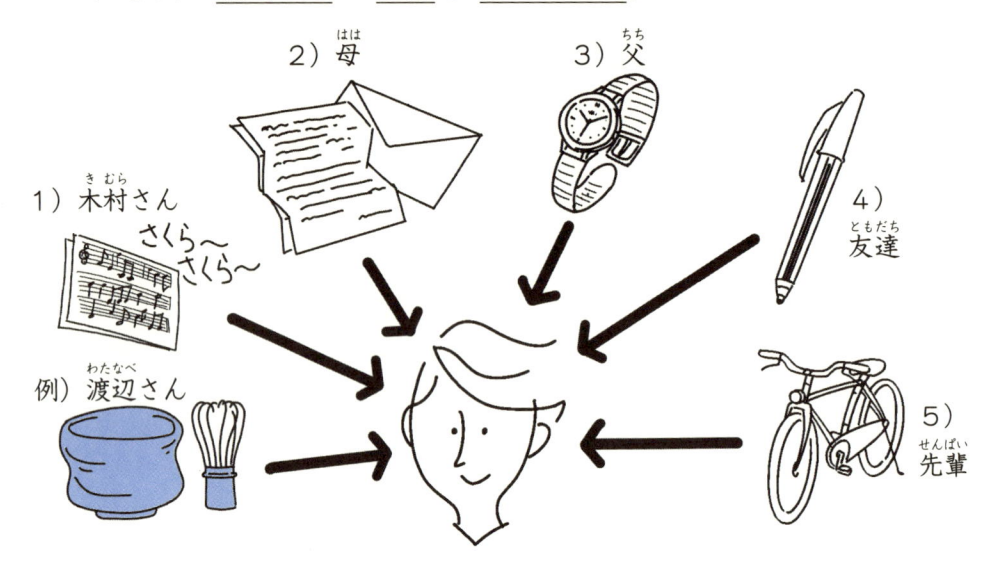

2-1. わたしは 渡辺さんに お茶を 習いました。

例）渡辺さん
1）木村さん
2）母
3）父
4）友達
5）先輩

2-2. A：(B)さん、いい 辞書ですね。
　　　B：ええ、兄に もらいました。
　　　A：いい お兄さんですね。

例）辞書・兄　　1）ネックレス・夫　　2）時計・姉
3）ネクタイ・妻　　4）（　　　）・（　　　）

2-3. A：(B)さん、(誕生日) 何を もらいましたか。
　　　B：(本)を もらいました。
　　　A：だれに もらいましたか。
　　　B：(母)に もらいました。

	(B)さん	(　)さん	(　)さん
誕生日・もらいました	本　お母さん		
子供のとき・習いました			

3-1. <u>せっけん</u>を <u>4つ</u>（買いました）。

例）	1)	2)	3)	4)	5)

3-2. A ：いらっしゃいませ。ご注文は？
　　　 B ：わたしは <u>コーヒー</u>を お願いします。
　　　 C ：わたしは <u>コーヒーと ケーキ</u>に します。
　　　 A ：コーヒーを <u>2つ</u>と ケーキを <u>1つ</u>ですね。
　　　BC：はい。

4-1. A：何で <u>カレー</u>を 食べますか。
　　　 B：（スプーン）で 食べます。

例）	1)	2)	3)	4)

4-2. パソコンで レポートを 書きます。

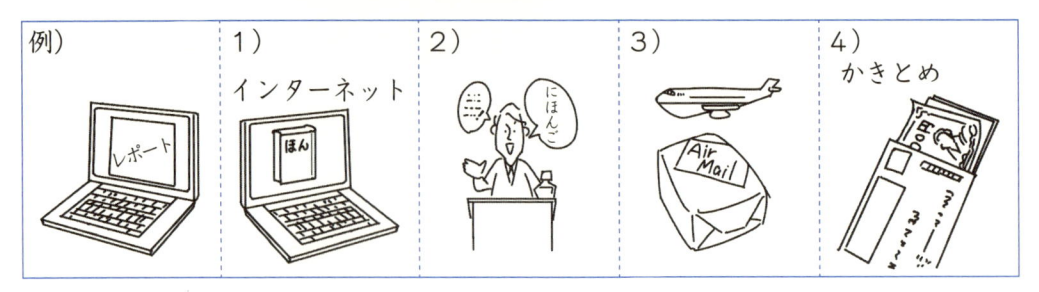

| 例) | 1) インターネット | 2) にほんご | 3) Air Mail | 4) かきとめ |

使いましょう

お母さん
　誕生日の プレゼント、ありがとう ございました。とても きれいな 色の セーターですね。今日 クラスの 友達に チョコレートを もらいました。キムさんに CDを もらいました。
　来週は お父さんの 誕生日ですね。今日 プレゼントを 買いましたから、あした 送ります。とても すてきな ネクタイですよ。
　また メールします。お父さんに よろしく。
　　　　　　　　　　　　　　　　　　　　　　　　あき

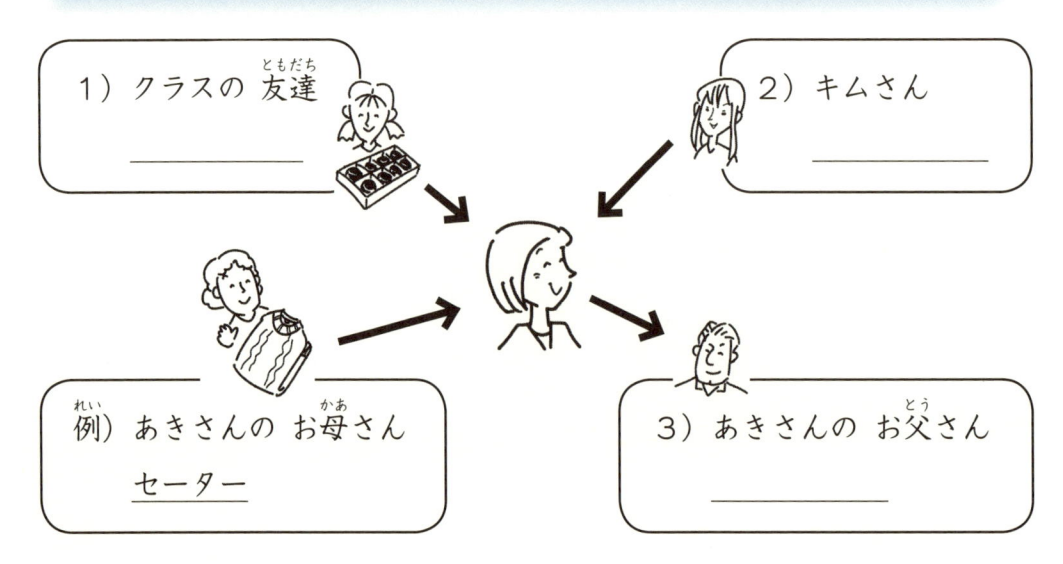

1) クラスの 友達
＿＿＿＿＿＿

2) キムさん
＿＿＿＿＿＿

例) あきさんの お母さん
セーター

3) あきさんの お父さん
＿＿＿＿＿＿

11 東京と ソウルと どちらが 寒いですか

CD-23

ジョーダン：キムさん、ソウルは どんな 町ですか。

キム　　　：食べ物が おいしくて、きれいな 町です。
　　　　　　でも、冬は 寒いです。

ジョーダン：東京と ソウルと どちらが 寒いですか。

キム　　　：ソウルの ほうが ずっと 寒いですよ。

ジョーダン：へえ、そうですか。何月が いちばん 寒いですか。

キム　　　：2月が いちばん 寒いです。

ジョーダン：キムさんは 冬の スポーツを しますか。

キム　　　：いいえ。わたしは 暖かい 部屋の 中の ほうが 好きですから。

11

1. 東京は ［人　が おおいです。
　　　　　食べ物が おいしいです。］

2. ［ソウル］は ［東京］より 寒いです。
　［2月　］　［1月　］

3. ［肉　　　］と ［魚　］と　どちら　が 好きですか。
　［コーヒー］　　［紅茶］
　　B1：魚の ほうが 好きです。
　　B2：どちらも 好きです。

4. スポーツで サッカーが いちばん 好きです。
　［スポーツ］で　なに　が いちばん ［すきです　］か。
　［クラス　］　　だれ　　　　　　　［まじめです］
　［日本　　］　　どこ　　　　　　　［きれいです］
　［1年　　 ］　　いつ　　　　　　　［あついです］

5. わたしの 部屋は ［あたらしくて、］静かです。
　　　　　　　　　［きれいで、　　］
　　　　　　　　　［2階で、　　　 ］

CD-24

1-1. この 犬は 鼻が 黒いです。

　　　例) 鼻　　1) 目　　2) 首　　3) 足　　4) 耳

1-2. みどり大学は 留学生が 多いです。

　　　例) 留学生　　・　　・　きれいです
　　　1) 寮　　　　・　　・　多いです
　　　2) 経済学部　・　　・　いいです
　　　3) 環境　　　・　　・　有名です

1-3. 東京は (人) が (多いです)。

　　　例) 東京　1) わたしの 国　2) わたしの 学校

2. 北海道は 九州より 大きいです。

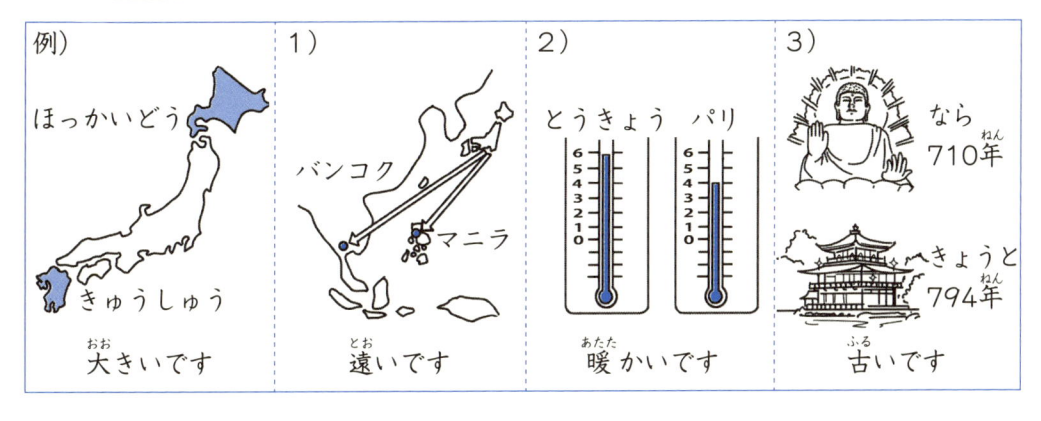

例)	1)	2)	3)
ほっかいどう / きゅうしゅう	バンコク / マニラ	とうきょう / パリ	なら 710年 / きょうと 794年
大きいです	遠いです	暖かいです	古いです

3-1. A ：デートと 仕事と どちらが 大切ですか。
　　　 B１：(デート) の ほうが 大切です。
　　　 B２：どちらも 大切です。
　　　 B３：どちらも 大切じゃ ありません。

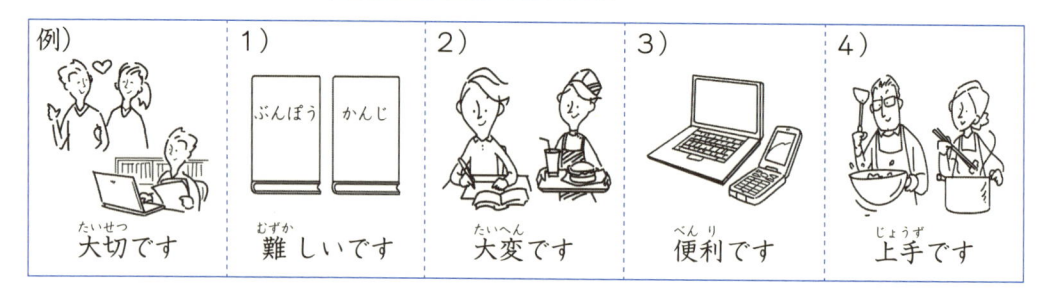

例）	1)	2)	3)	4)
大切です	難しいです	大変です	便利です	上手です

3-2. A：みどり大学と ゆり大学と どちらが 学生が (多いです) か。
　　　 B：みどり大学の ほうが (多いです)。

	みどり大学	ゆり大学
例）学生	5,000人	2,500人
1）学費	100万円	130万円
2）キャンパス	1,200,000㎡	1,600,000㎡
3）歴史	1946年〜	1898年〜

4-1. 🎤 A：食べ物で 何が いちばん 好きですか。
　　　　　 B：(天ぷら) が いちばん 好きです。

例）(B) さん	1) (　　　) さん	2) (　　　) さん

4-2. A：スポーツで 何が いちばん 面白いですか。
B：(柔道)が いちばん 面白いです。

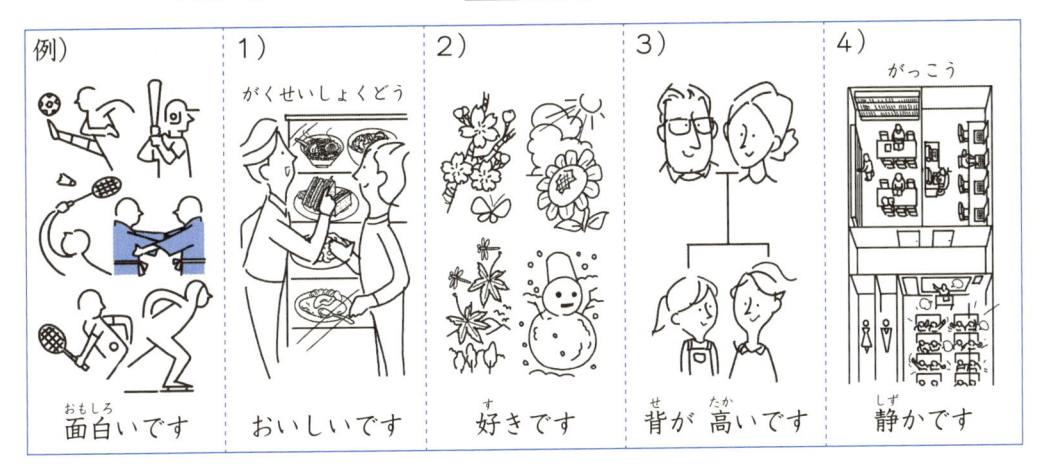

例)	1)	2)	3)	4)
面白いです	おいしいです	好きです	背が 高いです	静かです

がくせいしょくどう / がっこう

4-3. A：(B)さん、わたしの 国へ 来ませんか。
B：いいですね。いつが いちばん いいですか。
A：(9月)が いちばん いいです。

	(A)さんの 国	(　)さんの 国	(　)さんの 国
例) いつ	9月		
1) どこ	パリ		
2) なに	ワイン		

いいです ・ きれいです ・ 有名です ・
おいしいです ・ にぎやかです ・ (　　　)

5-1. 大きくて
元気で
学生で　㊾—㋛

5-2. この 部屋は 広くて、明るいです。

例)	この 部屋	•	• 28歳です	•	• まじめです
1)	この 公園	•	• 広いです	•	• 歌が 上手です
2)	リンさん	•	• 優しいです	•	• 明るいです
3)	マリーさん	•	• 頭が いいです	•	• 花が きれいです
4)	田中さん	•	• 静かです	•	• 独身です

5-3.

この 料理は おいしくて、(安いです)。

この 料理は おいしいですが、(高いです)。

例) この 料理・おいしいです・(　　　)
1) 新幹線・速いです・(　　　)
2) 東京・きれいです・(　　　)
3) わたしの 部屋・狭いです・(　　　)

使いましょう

A：さくらマンションと みどりアパートと
　　どちらが いいですか。
B：(さくらマンション) の ほうが いいです。
　　(新しくて、きれいです) から。
　　(みどりアパート) は (古いです)。
A：じゃ、(さくらマンション) に しましょう。

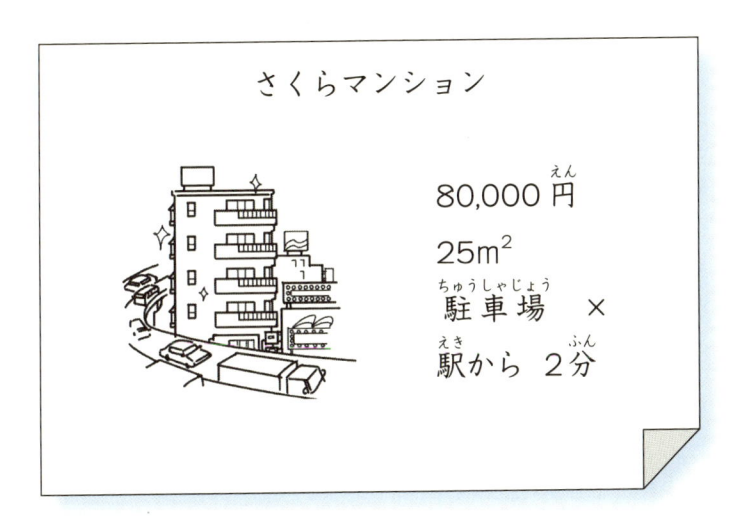

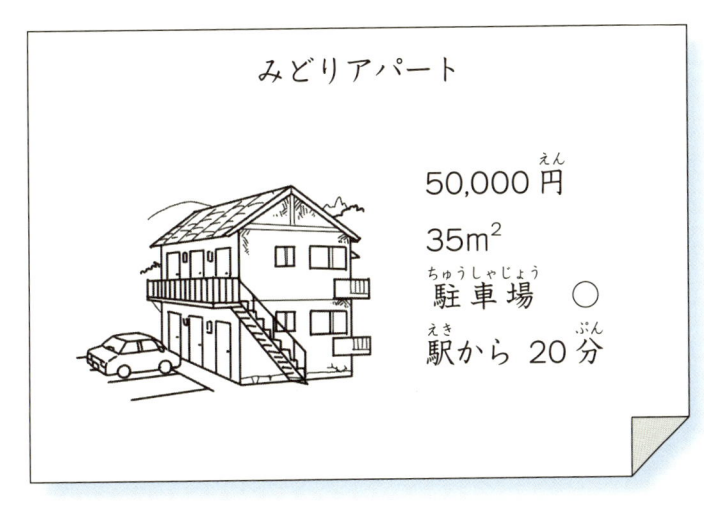

さくらマンション

80,000円
25m²
駐車場　×
駅から 2分

みどりアパート

50,000円
35m²
駐車場　○
駅から 20分

12 旅行は どうでしたか

CD-25

スミス：木村さん、これ、広島の お土産です。どうぞ。

木村　：あ、ありがとう。旅行は どうでしたか。

スミス：とても 楽しかったです。
　　　　でも、ちょっと 寒かったです。

木村　：あ、そうですか。

スミス：船で 宮島へ 行きました。

木村　：景色は どうでしたか。

スミス：とても きれいでした。
　　　　海や 島の 写真を 撮りました。

木村　：よかったですね。

12

1. ナルコさんは ［いそがしかったです。
   げんきでした。
   会社員(かいしゃいん)でした。］

2. キムさんは ［いそがしくなかったです。
   げんきじゃ ありませんでした。
   会社員(かいしゃいん)じゃ ありませんでした。］

たかいです	たかくないです	たかかったです	たかくなかったです
*いいです	よくないです	よかったです	よくなかったです
ひまです	ひまじゃ ありません	ひまでした	ひまじゃ ありませんでした
雨(あめ)です	雨(あめ)じゃ ありません	雨(あめ)でした	雨(あめ)じゃ ありませんでした

3. A：ホセさんは ［どのぐらい］ 日本語(にほんご)を 勉強(べんきょう)しましたか。
   B： ［2しゅうかん／4かげつ］ 勉強(べんきょう)しました。

··

① 10日(とおか)ぐらい かかります。

1-1. 大きかったです ㊾—㋑

1-2. わたしたちは 昨日 花見を しました。 
　例) 昨日は (日曜日でした)。
　1) 天気は (　　　　　　)。
　2) 公園は (　　　　　　)。
　3) 桜の 花は (　　　　　　)。
　4) 桜の 木は (　　　　　　)。
　5) おにぎりは (　　　　　　)。
　6) 花見は (　　　　　　)。

1-3. わたしは 先週 日本語で 発表しました。 
　例) 発表の 準備は (大変でした)。
　1) 発表は (　　　　　　)。
　2) 発表の 時間は (　　　　　　)。
　3) 日本語の 発表は (　　　　　　)。
　4) 質問は (　　　　　　)。

2-1. 大きくなかったです ㊾—㋑

2-2.
A: 旅行は 楽しかったですか。
B: いいえ、楽しくなかったです。

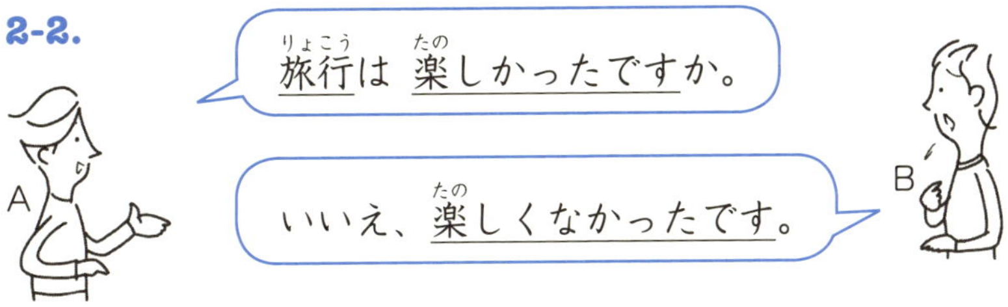

　例) 旅行・楽しいです
　1) 天気・いいです　　　2) 部屋・きれいです
　3) 晩ご飯・おいしいです　4) ホテルの 人・親切です

2-3.

A: テストは 難(むずか)しかったですか。

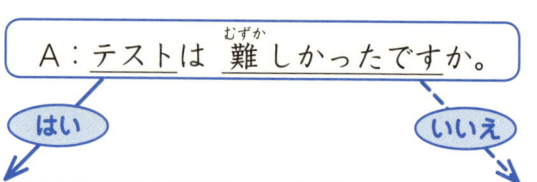

　はい → B1: はい、とても 難(むずか)しかったです。

　いいえ → B2: いいえ、あまり 難(むずか)しくなかったです。

例)	1)	2)	3)	4)
難(むずか)しいです	厳(きび)しいです	面白(おもしろ)いです	大変(たいへん)です	怖(こわ)いです

2-4.
A: 週末(しゅうまつ) 何(なに)を しましたか。
B: ドライブを しました。
A: そうですか。どうでしたか。
B: (とても 楽(たの)しかったです)。

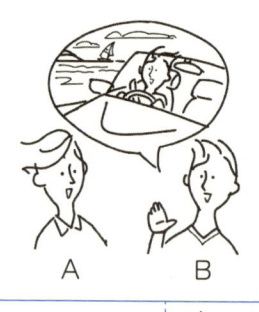

1)	2)	3)	4)
		日本人(にほんじん)の うち	

3-1. 🎤 A:（B）さん、毎晩 何時間 テレビを 見ますか。
　　　　　 B:（1時間）テレビを 見ます。

質問	(B) さん	(　) さん
例) 毎晩 何時間 テレビを 見ますか。	1	
1) 昼休み 何分 休みますか。		
2) 毎晩 何時間 寝ますか。		
3) 国で 何か月 日本語を 勉強しましたか。		

3-2. A:東京から シアトルまで 船で どのぐらい かかりますか。
　　　　 B:10日ぐらい かかります。

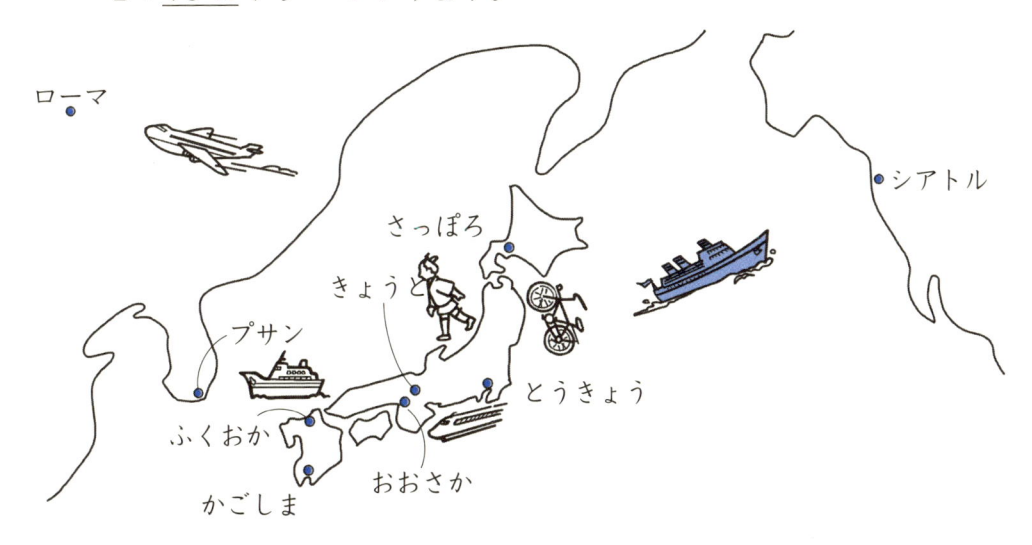

例) 東京・シアトル・船
1) 東京・ローマ・飛行機　　2) 福岡・プサン・フェリー
3) 東京・大阪・新幹線　　　4) 東京・京都・歩いて
5) 札幌・鹿児島・自転車　　6) (　　)・(　　)・(　　)

例) 10日 ・ 12時間 ・ 2週間 ・ 1か月 ・
　　5時間30分 ・ 2時間20分

使いましょう 1

わたしは（4）月（2）日に 日本へ 来ました。
わたしの 国から 日本まで（飛行機）で（12）時間 かかりました。
（成田）空港から（寮）まで（2時間半）かかりました。（とても 遠かったです。わたしの かばんは 大きくて、重かったです。とても 大変な 1日でした。）

使いましょう 2

わたしは 昨日 友達と 花火を 見ました。
花火は 8時に 始まりました。人が 多くて、にぎやかでした。
わたしたちは 橋の 上で 1時間ぐらい 赤や 黄色の 花火を 見ました。それから、冷たい ジュースを 飲みました。
とても おいしかったです。
皆さん、今度 一緒に
行きましょう。

わたしは＿＿＿＿＿＿＿＿＿＿＿＿＿＿＿＿＿＿＿＿＿＿＿＿
＿＿＿＿＿＿＿＿＿＿＿＿＿＿＿＿＿＿＿＿＿＿＿＿＿＿＿＿
＿＿＿＿＿＿＿＿＿＿＿＿＿＿＿＿＿＿＿＿＿＿＿＿＿＿＿＿

まとめ 2 (7—12)

1.

例) すきです
1) きらいです
　ふるいです
　ながいです
　おおきいです
　たかいです　むずかしいです
　ひまです
　とおいです
　さむいです

2.

おいしいです	1)	2)	3)	4)
5)	こわくないです	6)	7)	8)
いいです	9)	10)	11)	12)
きれいです	13)	14)	15)	きれいで
べんりです	16)	べんりでした	17)	18)
あめです	19)	20)	あめじゃありませんでした	21)

3.

例) わたしの うちは 寒い ところに あります。
　　わたしは 鳥ですが、水泳が 上手です。
　　わたしは 海で 魚を 捕ります。　　　答え（　c　）

1) わたしの うちは 中国の 山の 中に あります。わたしは 体が 白くて、目と 耳と 手と 足が 黒いです。わたしは 中国で いちばん 珍しい 動物です。　　答え（　　　）

2) わたしの うちは とても 暑い ところに あります。わたしは 野菜を 全然 食べません。肉が 好きです。お父さんは 髪が 長いです。　　　　　　　　　　　　　答え（　　　）

3) わたしは 鳥です。わたしは 鳥の 中で いちばん きれいです。わたしの 友達は 男の ほうが きれいです。
　　　　　　　　　　　　　　　　　　　答え（　　　）

4) わたしは 手で いろいろな ものを 作ります。
　　わたしは 言葉を 話します。
　　　　　　　　　　　　　　　　　　　答え（　　　）

a　　　b　　　c　　　d　　　e

13 何か 食べたいですね

CD-27

リン　：お祭り、楽しかったですね。
スミス：ええ、でも、とても 疲れました。手が 痛いです。
リン　：大丈夫ですか。
スミス：ええ。でも、ちょっと のどが 渇きました。
リン　：わたしは おなかが すきました。
スミス：ええ、何か 食べたいですね。
リン　：じゃ、どこか 食べに 行きませんか。
スミス：いいですね。

13

1. わたしは ［お金／時間］が 欲しいです。

2. わたしは 柔道を ［ならい／し］たいです。

| ほしいです | ほしくないです | ほしかったです | ほしくなかったです |
| みたいです | みたくないです | みたかったです | みたくなかったです |

3. わたしは 山へ ［写真を とり／ハイキング］に 行きます。

　　A：リンさんは 山へ なにを し に 行きますか。
　　B：　　　　　　　写真を とり　　　に 行きます。
　　　　　　　　　　ハイキング

4. A：［てつだい／傘を かし］ましょうか。

　　B：ありがとう ございます。

・・

① すき焼きを 作りたいんですが……。
② 作り方
③ 何か 食べたいです。

13

1-1. わたしは ベッドが 欲しいです。

どうぞ。

1-2.
A：(B)さんは 何が 欲しいですか。
B：パソコンが 欲しいです。
A：どんな パソコンが 欲しいですか。
B：(小さい) パソコンが 欲しいです。

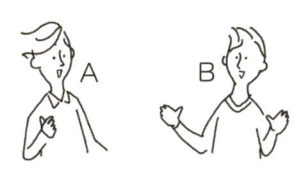

2-1. わたしは すしを 食べたいです。

13

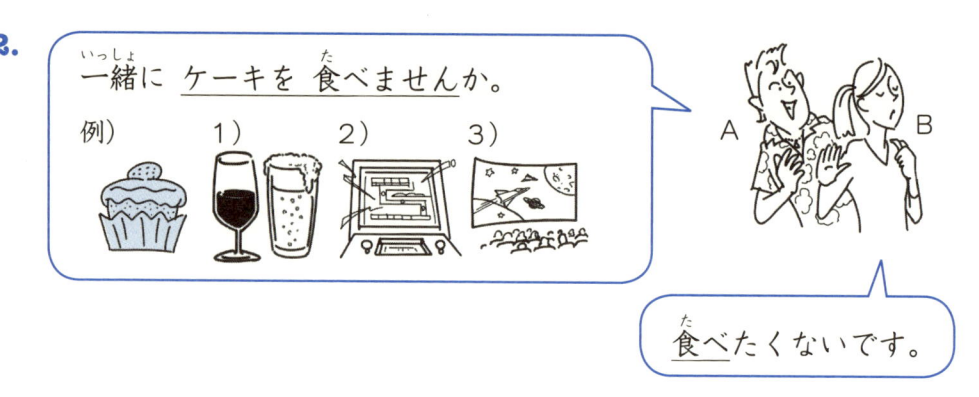

2-2. 一緒に ケーキを 食べませんか。

例) 1) 2) 3)

食べたくないです。

2-3. A：(B)さん、お金と 時間と どちらが 欲しいですか。
B：お金の ほうが 欲しいです。
（新しい パソコンを 買い）たいですから。

例）(B)さん	お金・時間	（新しいパソコンを買い）たいですから。
1) ( ) さん	お金・時間	( ) たいですから。
2) ( ) さん	お金・時間	( ) たいですから。
3) ( ) さん	お金・時間	( ) たいですから。

3-1. 友達の うちへ 遊びに 行きます。

例) 友達の うち
1) コンビニ
2) 銀行
3) 図書館
4) 空港
5) 市役所

3-2. (工場)へ 見学に 行きます。

例) 見学
1) 花見　2) 食事　3) 買い物　4) スキー

3-3. A：あ、（B）さん。今日は 勉強に 来ましたか。
　　　 B：いいえ、（本を 返し）に 来ました。（A）さんは？
　　　 A：わたしは（CDを 借り）に 来ました。

ぶんかセンター

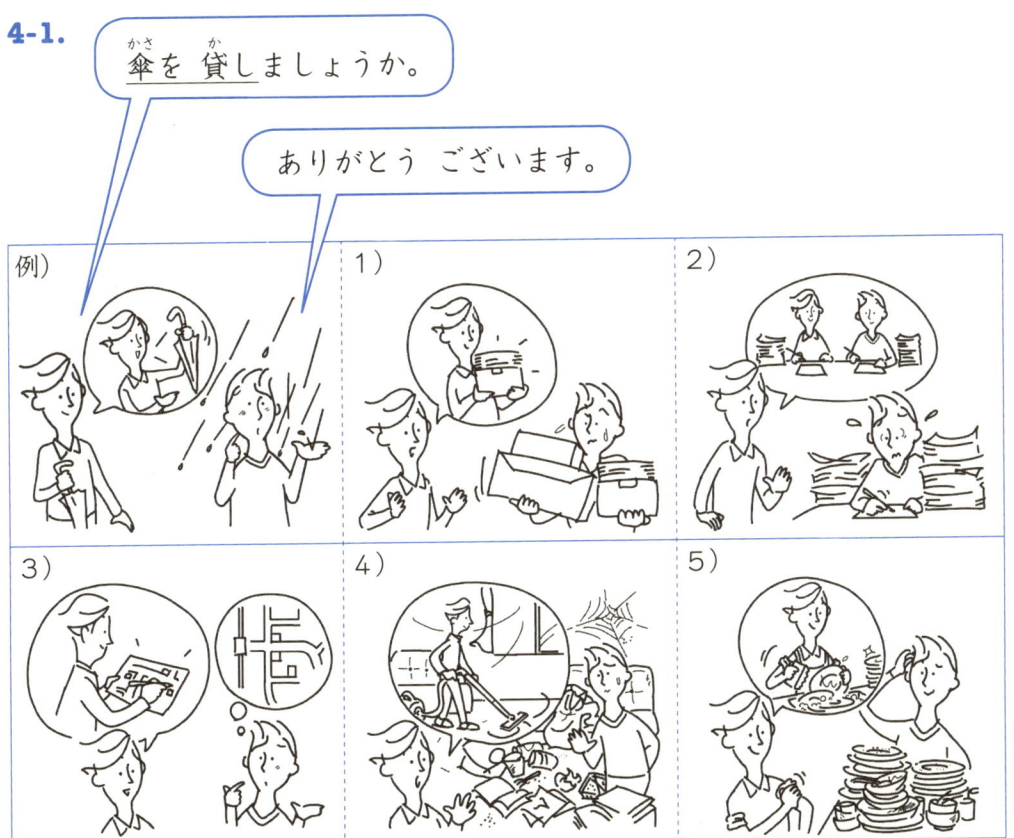

4-1.

傘を 貸しましょうか。

ありがとう ございます。

例）　1）　2）
3）　4）　5）

13

4-2. A：すき焼きを 作りたいんですが……。
B：じゃ、作り方を 教えましょうか。
A：お願いします。

例）すき焼きを 作ります
1）日本語で メールを 書きます　　2）コピー機を 使います
3）歌舞伎座へ 行きます　　4）相撲の チケットを 買います

使いましょう

A：（B）さん、いつ 日本へ 来ましたか。
B：（5年）まえに 来ました。今、（みどり大学の 4年生）です。
A：（B）さんは 来年 どう しますか。
B：わたしは（大学院に 入り）たいです。
A：（大学院で 何を 研究したいですか。）
B：（ロボット工学を 研究したいです。）
A：そうですか。（頑張って ください。）

> わたしは 日本へ（ロボット工学の 研究）に 来ました。
> （日本の 大学院で 研究し）たいです。将来（国の 大学で 教え）
> たいです。

14

わたしの 趣味は 音楽を 聞く ことです

CD-29

渡辺：アランさん、趣味は 何ですか。
マレ：趣味ですか。音楽を 聞く ことです。
渡辺：そうですか。どんな 音楽を 聞きますか。
マレ：ジャズや ロックを 聞きます。渡辺さんは？
渡辺：わたしも 音楽が 好きです。時々 自分で 曲を 作ります。
マレ：じゃ、ピアノを 弾く ことが できますか。
渡辺：ええ。
マレ：わたしは ギターが できます。
　　　今度 一緒に コンサートを しましょう。

14

1.

	ます形	辞書形		ます形	辞書形
I	かいます	かう	II	たべます	たべる
	かきます	かく		ねます	ねる
	およぎます	およぐ		みます	みる
	はなします	はなす		かります	かりる
	まちます	まつ			
	しにます	しぬ	III	きます	くる
	あそびます	あそぶ		します	する
	よみます	よむ		さんぽします	さんぽする
	とります	とる			

2. わたしの 趣味は ［本を よむ こと／音楽］です。

3. アランさんは ［ギターを ひく こと／中国語］が できます。

4. 図書館で ［CDを かりる こと／インターネット］が できます。

5. ［たべる／食事 の］まえに、手を 洗います。

··

① 猫とか、犬とか。
② 上手では ありません。

A：何か、食べる？
B：うん、食べる。

14

1. 食(た)べる ❶―㊸

2-1. わたしの 趣味(しゅみ)は 本(ほん)を 読(よ)む ことです。

| 1) | 2) | 3) | 4) | 5) | 6) ( ) |

2-2.
A：趣味(しゅみ)は 何(なん)ですか。
B：写真(しゃしん)を 撮(と)る ことです。
A：どんな 写真(しゃしん)を 撮(と)りますか。
B：(猫(ねこ)) とか、(犬(いぬ)) とか。

| 1) | 2) | 3) |

3-1. アランさんは ギターを 弾(ひ)く ことが できます。

| 例) | 1) 500m | 2) | 3) てんぷら | 4) 你好 ちゅうごくご | 5) ( ) |

14

3-2. 🎤 A：(B) さんは 畳に 何分 座る ことが できますか。
　　　　B：(30分) 座る ことが できます。

		(B) さん	(　) さん
例) 畳に・何分・座ります		30分	
1) 何メートル・泳ぎます			
2) どのぐらい・彼／彼女・待ちます			
3) どんな 料理・作ります			

4-1. 📖 P.193
　　　　A：どこで 電話料金を 払う ことが できますか。
　　　　B：(コンビニや 郵便局) で できますよ。

例) 電話料金を 払います	コンビニ、郵便局
1) 生け花を 習います	
2) スキーを します	
3) お国の 料理を 食べます	(　　　　　　　)
4) 温泉に 入ります	箱根、別府
5) 忍者に 会います	忍者村（長野、三重）

4-2. ✏️ A：山ホテルは いいですよ。温泉に 入る ことが できますから。
　　　　🗣️ B：そうですね。でも、海ホテルも いいですよ。安いですから。

山ホテル	海ホテル
例1) 温泉に 入る ことが できます。	例2) 安いです。
1)	3)
2)	4)

14

山ホテル　　　海ホテル

> わたしは（山ホテル）の ほうが いいです。
> （温泉に 入る ことが できます）から。

5-1. 寝る まえに、目覚まし時計を セットします。

5-2. 出かける まえに、（エアコンを 消します）。

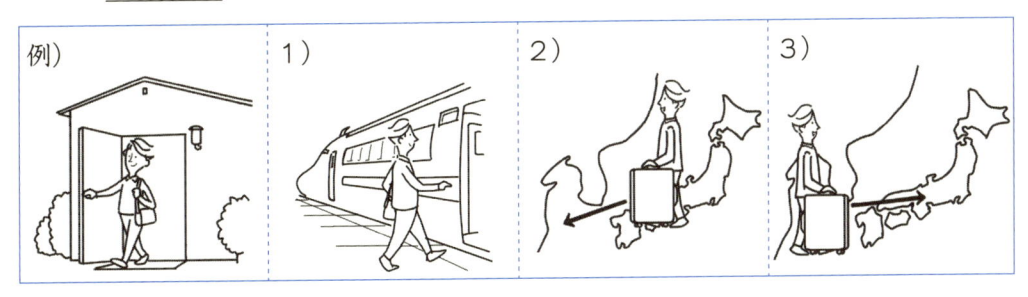

5-3. 食事の まえに、（手を 洗います）。
例）食事　　1）旅行　　2）授業
3）スピーチ　　4）デート

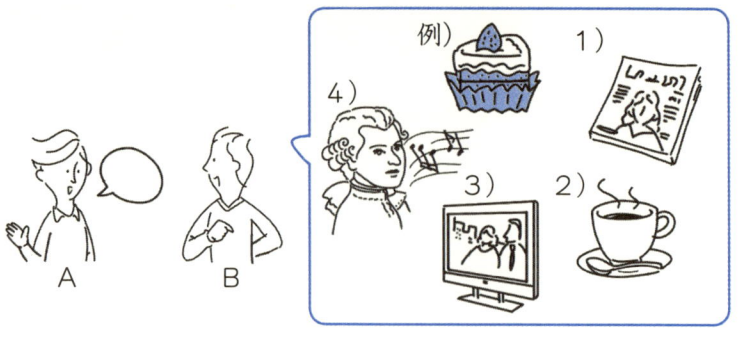

14

友達の会話

A：何か、食べる？
B：うん、食べる。
A：何、食べる？
B：ケーキ。

例）
1)
2)
3)
4)

使いましょう

わたしの趣味

わたしの 趣味は 写真を 撮る ことです。上手では ありませんが、日本で たくさん 写真を 撮りました。この 前 ブログを 始めました から、国の 友達に 写真を 見せる ことが できます。毎晩 寝る まえに、ブログを 書きます。
　日本の 面白い 写真を ブログに たくさん 載せたいです。

わたしの趣味

わたしの 趣味は＿＿＿＿＿＿＿＿＿＿＿＿＿＿＿＿＿です。
＿＿＿＿＿＿＿＿＿＿＿＿＿＿＿＿＿＿＿＿＿＿＿＿＿

15 今 ほかの 人が 使って います

チャチャイ：すみません。
　　　　　　バスケットボールの コートを 使いたいんですが……。
受付の 人：初めてですか。
チャチャイ：はい。今日 使う ことが できますか。
受付の 人：今 ほかの 人が 使って いますから、4時からです。
チャチャイ：そうですか。分かりました。じゃ、4時から お願いします。
受付の 人：じゃ、ここに 住所と 名前を 書いて ください。
チャチャイ：はい。

15

1.

辞書形	て形		辞書形	て形
I　かう	かって	II	たべる	たべて
まつ	まって		ねる	ねて
とる	とって		みる	みて
よむ	よんで		かりる	かりて
あそぶ	あそんで			
しぬ	しんで	III	くる	きて
かく	かいて		する	して
いそぐ	いそいで		さんぽする	さんぽして
はなす	はなして			
*いく	いって			

2. 先生：リンさん、プリントを ［あつめて／コピーして］ ください。

   リン：はい、分かりました。

3. 木村：どうぞ。たくさん ［たべて／のんで］ ください。

   ポン：どうも ありがとう ございます。

4. キム：すみませんが、漢字を ［かいて／おしえて］ くださいませんか。

   先生：ええ、いいですよ。

5. キムさんは 今 漢字を ［かいて／べんきょうして］ います。

・・・・・・・・・・・・・・・・・・・・・・・・・・・・・・・・・・・・

お皿、台所へ 運んで。

CD-32

1. 食べて ①―㊼

2-1. 食べて ください ①―⑳ ㉒―㊵ ㊷―㊼

2-2.

野菜を 洗って ください。

りょうりきょうしつ

例) 1) 2) 3) 4)

2-3.

すみません。塩を 取って ください。

例) 1) 2)
3) 4) 5)

15

3.

(B)さん、どうぞ。上がって ください。

(失礼します)。

例) A B
1)
2)
3)
4)

4.

先生、すみませんが、いい 参考書を 教えて くださいませんか。

ええ、いいですよ。

例) いい 参考書
1) 手紙の 書き方
2) 先生の 辞書
3) 大学の 資料
4) 推薦状

教える ・ 貸す ・ 見せる ・ 書く

5-1. マリーさんは ナルコさんと 話して います。

例）マリー　ナルコ　1）アン　2）トム　3）ホセ　4）キム　5）ポン　6）リン　7）きむら

5-2. A：田中さん、今 何を して いますか。
　　　B：テレビを 見て います。
　　　A：わたしたちは 今 パーティーを して います。
　　　　 田中さんも 来ませんか。
　　　B：ありがとう。すぐ 行きます。

1）わたなべ　2）アラン　3）のぐち　4）いわさき

15 友達の会話

ポンさん、ごみ、捨てて。

はい。

例）

1) 2) 3) 4)

だいどころ

使いましょう

15

皆さん、おはよう ございます。わたしは 今 海町に います。今日は とても いい 天気です。海は きれいですが、危ないですから、泳ぐ ことが できません。小さい 店が たくさん あります。ポンさんは 魚を 食べて います。大きい 魚です。

皆さん、おはよう ございます。＿＿＿＿＿＿＿＿＿＿
＿＿＿＿＿＿＿＿＿＿＿＿＿＿＿＿＿＿＿＿＿＿＿＿＿＿
＿＿＿＿＿＿＿＿＿＿＿＿＿＿＿＿＿＿＿＿＿＿＿＿＿＿

16 ちょっと 触っても いいですか

CD-33

木村：わあ、ロボットですね。

レ　：ええ。この ロボットは 会話を する ことが できます。

木村：ちょっと 触っても いいですか。

レ　：どうぞ。お手伝いも できますよ。

木村：本当ですか。

レ　：ええ。朝 7時に コーヒーを 入れて、パンを 焼いて、
　　　持って 来ます。

木村：すごいですね。うちの 猫より 役に 立ちます。

16

1. ［写真を　　とって］も　いいです。
　　［ここで　電話を　かけて］

　　A　：写真を　撮っても　いいですか。
　　B１：ええ、いいですよ。
　　B２：すみません。ちょっと……。

2. 教室で［ジュースを　のんで］は　いけません。
　　　　［お菓子を　　たべて］

3. ナルコさんは［　　　けっこんして］います。
　　　　　　　［大学で　はたらいて］

4. ［宿題を　　して、メールを　かいて、］寝ました。
　　［シャワーを　あびて、テレビを　みて、］

・・

① A：さくら大学の　場所を　知って　いますか。
　　B：いいえ、知りません。

CD-34

1-1.

窓を 開けても いいですか。

ええ、どうぞ。

例)

1-2.

A: あのう、すみません。
　　ここに 荷物を 置いても いいですか。

B1: ええ、いいですよ。
　　どうぞ。

B2: すみません。
　　ちょっと……。

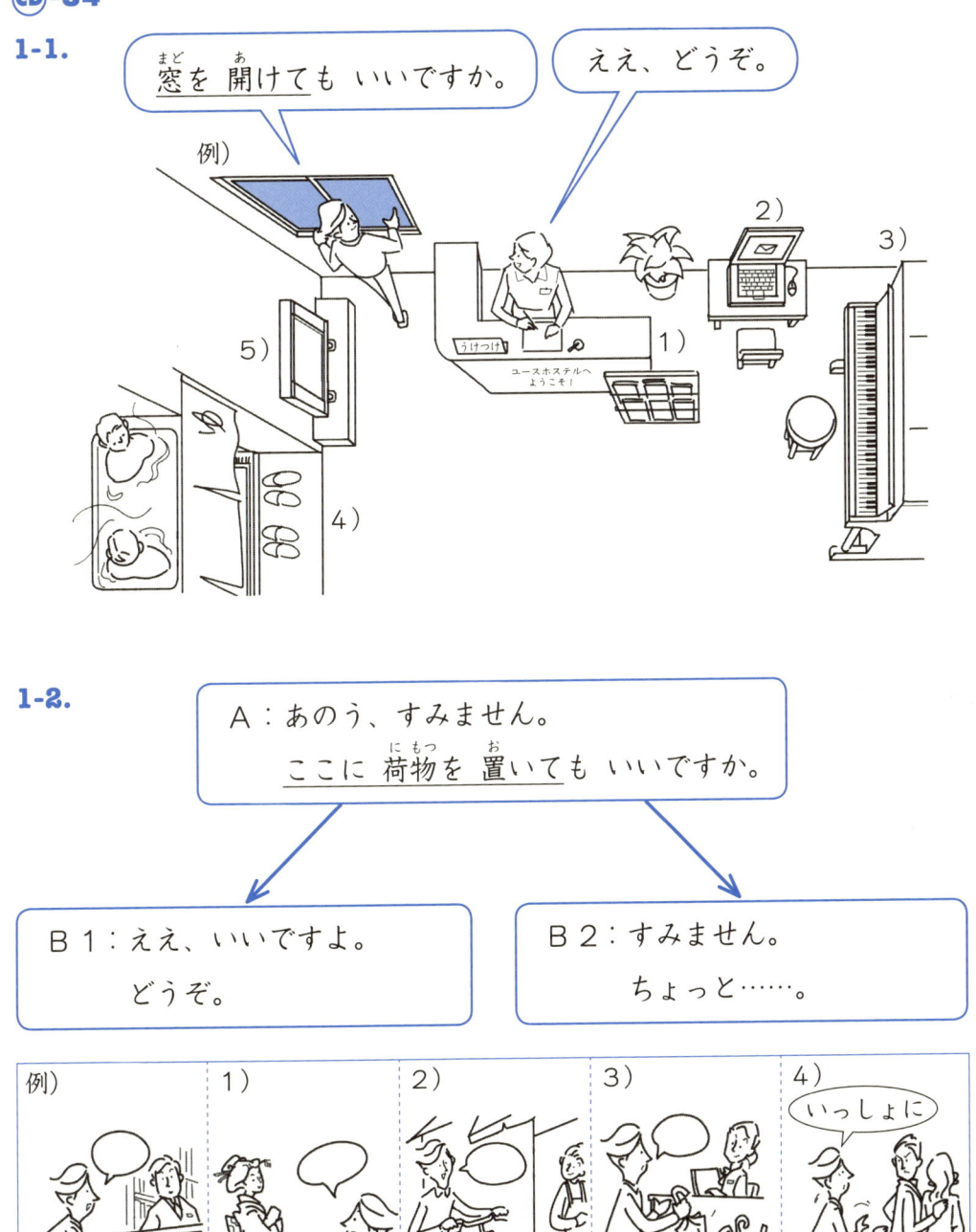

例) 1) 2) 3) 4) いっしょに

2-1. 入ってはいけません。

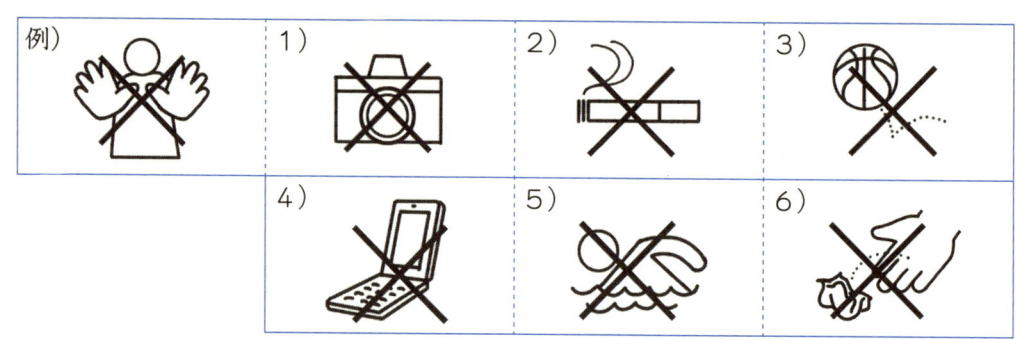

例) 1) 2) 3)
4) 5) 6)

2-2. A :（B）さんの国で 中学生は バイクに 乗っても いいですか。
B1：はい、乗っても いいです。
B2：いいえ、乗っては いけません。

はい○　いいえ×

	わたしの 国	(　　　) さんの 国
例) 中学生は バイクに 乗る	○	
1) 高校生は 結婚する		
2) 電車の 中で 電話を かける		
3) 美術館の 中で 写真を 撮る		

3-1. わたしは 東京に 住んで います。

例) 1) 2) 3)

わたしは (　　　　　　　　　　　　　　　　　)。

3-2. P.193

1) ローラさんは どこに 住んで いますか。
2) ローラさんは 何を して いますか。
3) ローラさんは 結婚して いますか。

モハメドさん

3-3.

A:（さくら大学）の 場所を 知って いますか。

はい
B1:ええ、知って います。
A1:すみませんが、教えて ください。
B1:いいですよ。（みどり駅の 近く）です。

いいえ
B2:いいえ、知りません。（事務室の 人）に 聞いて ください。
A2:分かりました。

例）場所　1）電話番号　2）メールアドレス　3）誕生日

4-1. 宿題を して、お風呂に 入って、寝ます。

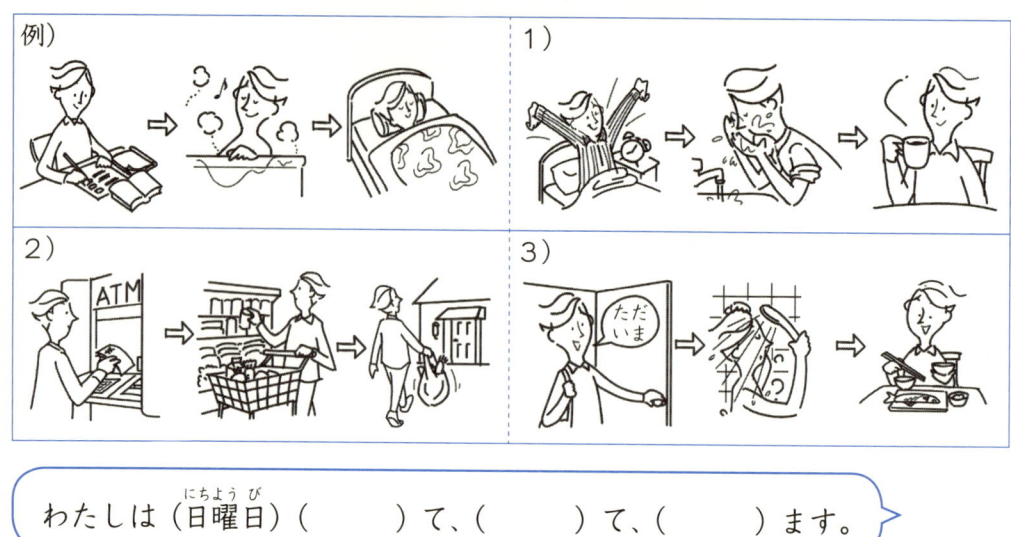

わたしは（日曜日）（　　　）て、（　　　）て、（　　　）ます。

4-2. 太郎さんは 海へ 行って、かめを 助けて、お城へ 行きました。

4-3. A：ここから 上野動物園まで どうやって 行きますか。
　　 B：上野動物園ですか。新宿まで 行って、
　　　　 JRに 乗り換えて、上野で 降ります。
　　 A：駅から 近いですか。
　　 B：ええ、すぐですよ。

　　 例）上野動物園・JR・上野
　　 1）歌舞伎座・地下鉄・東銀座
　　 2）皇居・JR・東京

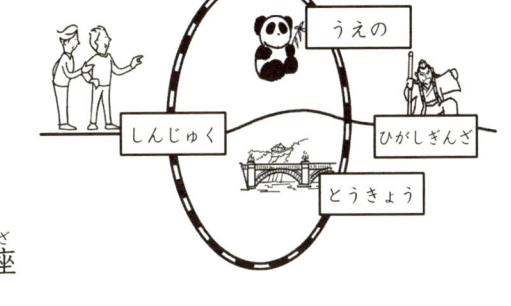

4-4. A：うちから（空港）まで どうやって 行きますか。
　　 B：(地下鉄で 東京まで 行って、JRに 乗り換えて、空港まで 行きます。)

使いましょう

わたしの 家族

　　　　　　　　　　　トム・ジョーダン

　わたしの 家族は 5人です。両親と 祖母と 弟が 1人 います。父は 弁護士です。母は もう 退職しました。今 うちで 翻訳の 仕事を して います。弟は 大学で 機械工学を 勉強して います。わたしたちは 毎年 夏 旅行します。とても 仲が いい 家族です。

わたしの 家族

　わたしの 家族は＿＿＿人です。＿＿＿＿＿が います。

17 あまり 無理を しないで ください

CD-35

リン　：マリーさん、一緒に 帰りませんか。
スミス：すみません。先に 帰って ください。
　　　　わたしは もう 少し 練習してから、帰ります。
リン　：マリーさんは よく 練習しますね。
スミス：ええ。今週の 土曜日 市民グラウンドで 試合が ありますから。
リン　：そうですか。じゃ、頑張って ください。
　　　　でも、あまり 無理を しないで くださいね。
スミス：ありがとう。

1.

	辞書形	ない形		辞書形	ない形
I	かう	かわない	II	たべる	たべない
	かく	かかない		ねる	ねない
	いそぐ	いそがない		みる	みない
	はなす	はなさない		かりる	かりない
	まつ	またない			
	しぬ	しなない	III	くる	こない
	あそぶ	あそばない		する	しない
	よむ	よまない		さんぽする	さんぽしない
	とる	とらない			
	*ある	ない			

2. [写真を とら / なか] ないで ください。

3. [税金を はらわ / 大使館へ いか] なくても いいです。

4. [晩ご飯を たべて / 宿題を して] から、テレビを 見ます。

・・

① 市民グラウンドで 試合が あります。

① A：サッカーの 試合、見に 行く？
　 B：ううん、行かない。
② 砂糖、入れないで。

1. 食べ<ruby>た</ruby>ない ①—㊽

2-1. 笑わ<ruby>わら</ruby>ないで ください。

例) 1) 2) 3)
4) 5) 6) 7)

2-2. はとに えさを やらないで ください。

どうも すみません。

2-3. A：先生、シャワーを 浴びても いいですか。
　　　B：いいえ、2、3日 浴びないで ください。
　　　A：はい。分かりました。

3-1. 今日から 試験を 受けなくても いいです。

3-2. わたしは 王様(おうさま)ですから、並(なら)ばなくても いいです。

4-1. 新聞(しんぶん)を 読(よ)んでから、テレビを 見(み)ます。

4-2.
A：(B)さんは 新聞(しんぶん)を 読(よ)んでから、テレビを 見(み)ますか。

はい
B1：はい、新聞(しんぶん)を 読(よ)んでから、テレビを 見(み)ます。

いいえ
B2：いいえ、テレビを 見(み)てから、新聞(しんぶん)を 読(よ)みます。

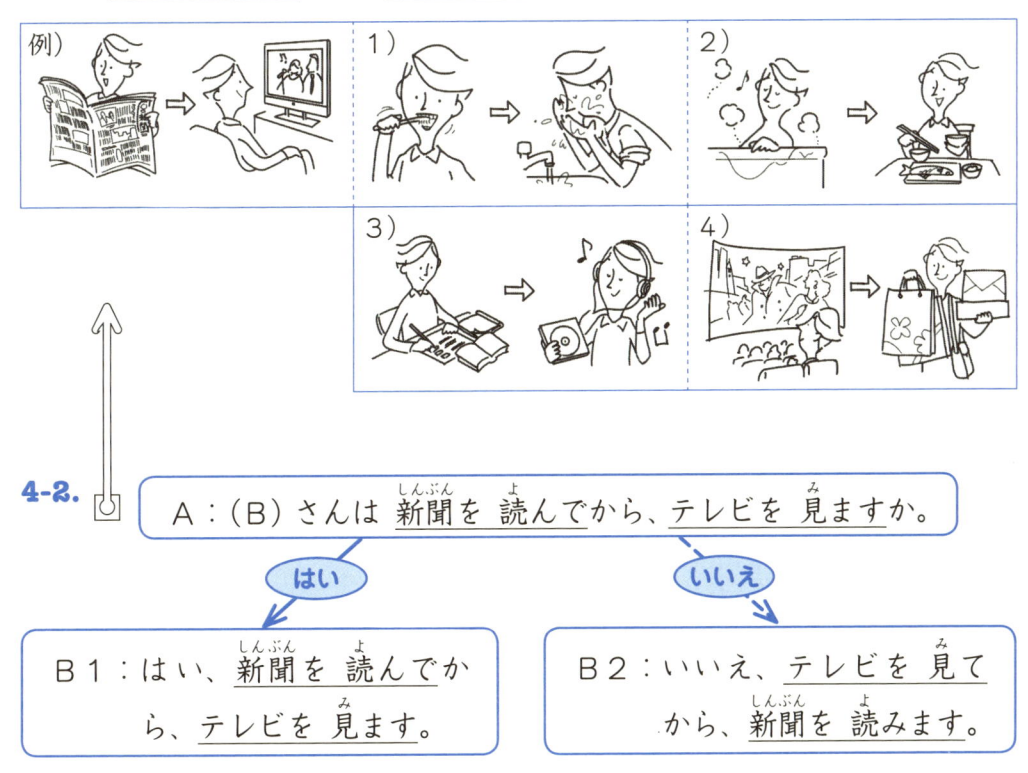

17

4-3. A：趣味は 何ですか。
B：柔道です。
A：いつ 始めましたか。
B：日本へ 来てから、始めました。
A：そうですか。
　（わたしも やりたいです。）

```
日本へ 来る ・ 中学に 入る ・ 会社に 入る ・
高校を 卒業する ・ 結婚する ・ (　　　　)
```

4-4. A：電源を 切っても いいですか。
B：まだ 切らないで ください。
　　ファイルを 保存してから、切って ください。
A：分かりました。

例）ファイルを 保存する　　1）メールを 送信する
2）ファイルを 削除する　　3）アドレスを 登録する

友達の会話 1

「サッカーの 試合、見に 行く？」
「うん、行く。」
「ううん、行かない。」

例）サッカーの 試合・見に 行きます
1）漫画・読みます
2）お茶・飲みます
3）この 漢字・分かります
4）この お菓子・食べます
5）お金・あります
6）(　　・　　)

友達の会話 2

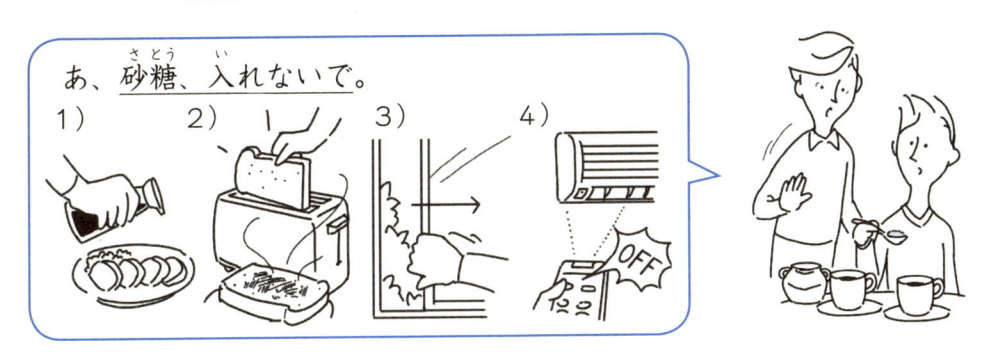

あ、砂糖、入れないで。
1)　2)　3)　4)

使いましょう

例1) 服を 全部 脱いでから、入って ください。
例2) お風呂の 栓を 抜かないで ください。

18 相撲を 見た ことが ありません

CD-37

木村　　　：トムさん、相撲が 好きですか。
ジョーダン：大好きです。
木村　　　：見に 行った ことが ありますか。
ジョーダン：いいえ、いつも テレビで 見て いますが……。木村さんは？
木村　　　：わたしは 何回も 行った ことが ありますよ。
　　　　　　今度 一緒に 行きませんか。
ジョーダン：えっ、本当ですか。
木村　　　：お相撲さんと 写真を 撮ったり、握手を したり する こと
　　　　　　が できますよ。
ジョーダン：わあ、ありがとう ございます。楽しみに して います。

1.

辞書形	て形	た形		辞書形	て形	た形
I かう	かって	かった	II	たべる	たべて	たべた
まつ	まって	まった		ねる	ねて	ねた
かえる	かえって	かえった		みる	みて	みた
よむ	よんで	よんだ		かりる	かりて	かりた
あそぶ	あそんで	あそんだ				
しぬ	しんで	しんだ				
かく	かいて	かいた	III	くる	きて	きた
いそぐ	いそいで	いそいだ		する	して	した
はなす	はなして	はなした		さんぽする	さんぽして	さんぽした

2. わたしは ［北海道へ いった／富士山を みた］ことが あります。

3. わたしは ［テレビを みた／友達と はなした］り、［本を よんだ／歌を うたった］り します。

4. わたしは ［およいだ／ジョギングの］あとで、30分 寝ました。

① 何回も 行った ことが あります。

A：何時に うちへ 帰った？
B：6時に 帰った。

CD-38

1. 食べた ❶—㊽

2-1. 着物を 着た ことが あります。

2-2.

A：野球を 見に 行った ことが ありますか。

はい →
B1：はい、(2回) あります。
A1：どうでしたか。
B1：とても (面白かったです)。
　　また 見に 行きたいです。

いいえ →
B2：いいえ、ありません。
A2：じゃ、今度 一緒に 見に 行きませんか。
B2：ええ、ぜひ 見に 行きたいです。
A2：いつが いいですか。
B2：いつでも いいです。

例) 野球を 見に 行く
1) 日本料理を 作る
2) 富士山に 登る
3) すき焼きを 食べる
4) 日本の お城を 見に 行く

3-1. 夏休み 海で 泳いだり、盆踊りを したり します。

例) 夏休み

1) 旅行の まえに

2) 引っ越しの まえに

3-2. A：研究発表の まえに、何を しますか。
B：(資料を 集めたり、論文を 読んだり します)。

	(B) さん	(　) さん
例) 研究発表の まえに、何を しますか。	資料を 集める 論文を 読む	
1) デートの まえに、何を しますか。		
2) コンビニで 何を する ことが できますか。		
3) 子供の とき、どんな お手伝いを しましたか。		
4) 寮で 何を しては いけませんか。		

4-1. 電車を 降りた あとで、忘れ物に 気が つきました。

例) 電車を 降ります ・　　・ やっと ロボットが 完成しました
1) テストを 出します ・　　・ 今の 彼／彼女に 会いました
2) 何回も 失敗します ・　　・ 忘れ物に 気が つきました
3) 恋人と 別れます ・　　・ 答えを 思い出しました

4-2. A：今から カラオケに 行く？
　　　B：ううん。散歩の あとで、行く。

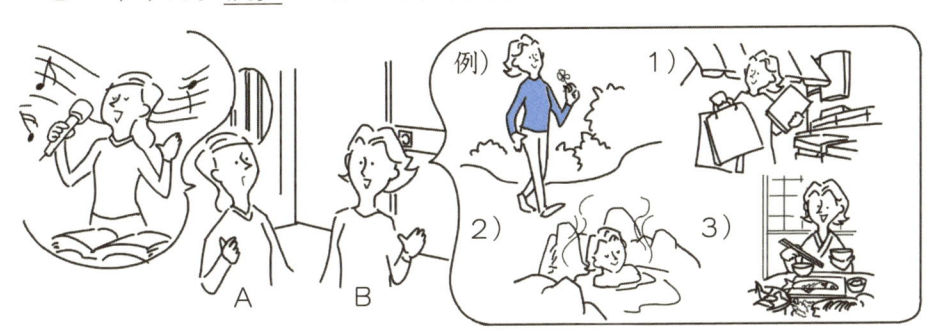

友達の会話

昨日 何時に うちへ 帰った？

(6時に 帰った)。

(6時に 帰りました)。

	( ) さん	( ) さん
例) 昨日 何時に うちへ 帰りましたか。	6:00 p.m.	
1) 晩ご飯を どこで 食べましたか。		
2) 晩ご飯の あとで、何を しましたか。		
3) 何時に 寝ましたか。		
4) 新幹線に 乗った ことが ありますか。	ある・ない	ある・ない
5) 納豆を 食べた ことが ありますか。	ある・ない	ある・ない

使いましょう

皆さん、(タイ) へ 行った ことが ありますか。(象に 乗ったり、タイの 踊りを 見たり) する ことが できます。(海で 泳いだり、おいしい タイ料理を 食べたり する ことも できます)。
(面白いです) から、ぜひ 来て ください。

18

どの 国へ 行きたいですか。

わたしは (タイ) へ 行きたいです。
わたしは (象に 乗った) ことが ありません。
(象に 乗ったり、タイ料理を 食べたり したいです)。

まとめ3 （13—18）

1.

ます形	辞書形	て形	ない形	た形
あそびます	1)	2)	3)	4)
5)	おくる	6)	7)	8)
9)	10)	あらって	11)	12)
13)	14)	15)	いそがない	16)
17)	18)	19)	20)	みせた
21)	22)	23)	みない	24)
25)	26)	して	27)	28)
29)	くる	30)	31)	32)

2.

例) b

1) ます形　2) 辞書形　3) て形　4) ない形　5) た形

a. ～ことが できます　b. ～ませんか　c. ～なくても いいです
d. ～まえに　e. ～ください／くださいませんか
f. ～たいです　g. ～ないで ください　h. ～あとで
i. ～に 行きます　j. ～り、～りします　k. ～は いけません
l. ～います　m. ～ましょうか　n. ～ことです
o. ～も いいです　p. ～ことが あります

3. ピザを 20枚 食べる ことが できます。

- 例) ピザを 20まい _____。
- 1) すみません、スプーンを _____。
- 2) なかに _____。
- 3) ここに _____。
- 4) _____。
- 5) あそこで _____。
- 6) うちへ _____。

4.

> わたしは 東京に 住んで います。専門学校で アニメを 勉強 して います。趣味は コーヒーカップを 集める ことです。休み の とき、フリーマーケットへ 行ったり、インターネットで 珍 しい カップを 探したり して います。フリーマーケットで は 時々 本当に いい ものを 見つける ことが できます。うち へ 帰って、新しい コーヒーカップで おいしい コーヒーを 飲 みます。とても いい 時間です。

1) 何を 勉強して いますか。
2) フリーマーケットへ 何を しに 行きますか。
3) あなたは フリーマーケットへ 行った ことが ありますか。

19 駅は 明るくて、きれいだと 思います

CD-39

リン　：マリーさん、東京の 電車に ついて どう 思いますか。
スミス：そうですね。便利だと 思いますが、ラッシュアワーは とても 込んで いますから、大変です。
リン　：そうですね。
スミス：それに、電車の アナウンスや 駅の ベルは うるさいと 思います。
リン　：そうですか。キムさんは どう 思いますか。
キム　：マリーさんは うるさいと 言いましたが、わたしは とても 親切だと 思います。それに、駅は 明るくて、きれいだと 思います。

19

1.

丁寧形	普通形
かきます	かく
かきません	かかない
かきました	かいた
かきませんでした	かかなかった
おおきいです	おおきい
おおきくないです	おおきくない
おおきかったです	おおきかった
おおきくなかったです	おおきくなかった
ひまです	ひまだ
ひまじゃ ありません	ひまじゃ ない
ひまでした	ひまだった
ひまじゃ ありませんでした	ひまじゃ なかった
やすみです	やすみだ
やすみじゃ ありません	やすみじゃ ない
やすみでした	やすみだった
やすみじゃ ありませんでした	やすみじゃ なかった

2. ［バスは すぐ くる］と 思います。
　　［地下鉄は べんりだ］

　　A：地下鉄に ついて ［どう］ 思いますか。
　　B：　　　　　　　　［べんりだ］と 思います。

3. アランさんは ［時間が ない］と 言いました。
　　　　　　　　　［写真を とらなかった］

　　A：アランさんは ［なん］ と 言いましたか。
　　B：　　　　　　　［じかんが ない］と 言いました。

---

① 疲れたが、気持ちが よかった。
　楽しかったから、また 行きたい。

　A：今日 暇？　B：うん。

CD-40

1. 食べる・食べない・食べた・食べなかった　①—㊽
　　　大きい・大きくない・大きかった・大きくなかった　㊾—㊿
　　　元気だ・元気じゃ ない・元気だった・元気じゃ なかった　㊶—㊸
　　　学生だ・学生じゃ ない・学生だった・学生じゃ なかった　㊹—㊼

2-1. あの 先生は <u>運転が できる</u>と 思います。

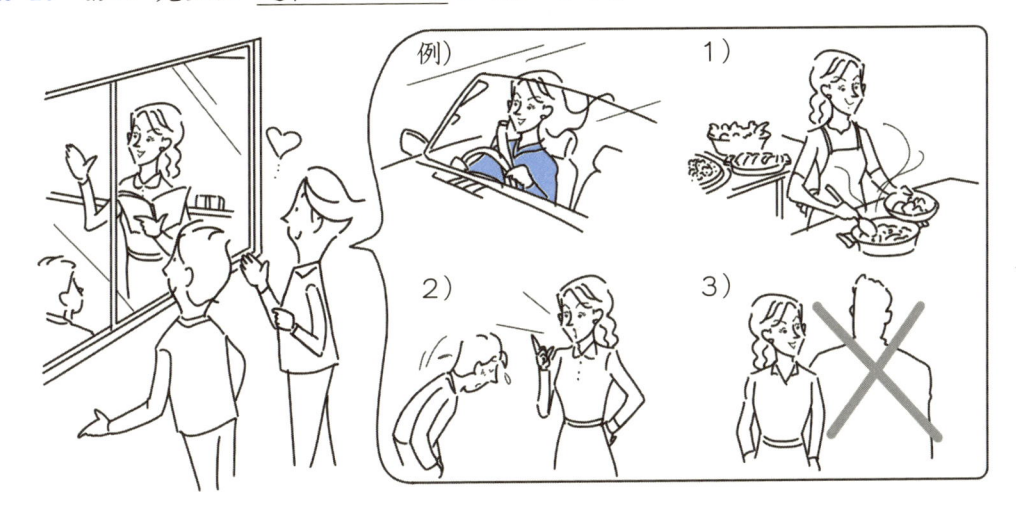

2-2. (この 人は だれかを 待って いる) と 思います。

19

2-3. A ：将来 地球の 人口は 増えますか。
B1：さあ、よく 分かりませんが、増えると 思います。
B2：さあ、よく 分かりませんが、増えないと 思います。

例）将来 地球の 人口は 増えます
1）将来 学校は なくなります
2）将来 月に 住む ことが できます
3）将来も コンピューターが 必要です
4）昔 日本人は 肉を 食べました
5）昔 日本人は 今より 背が 高かったです
6）昔 日本人は 暇でした

2-4. A：漢字の 勉強に ついて どう 思いますか。
B：そうですね。大変ですが、（役に 立つ）と 思います。
A：わたしも そう 思います。

例）漢字の 勉強・大変です
1）コンビニ・ちょっと 高いです
2）今の 生活・忙しいです
3）日本の 果物・種類が たくさん あります

3-1. お医者さんは 風邪だと 言いました。

例）風邪です
1）すぐ 治ります
2）インフルエンザじゃ ありません
3）学校へ 行っても いいです
4）お風呂に 入っては いけません
5）薬を 飲まなくても いいです

3-2. A：お医者さんは 何と 言いましたか。
B：風邪だと 言いました。
A：そうですか。お大事に。

友達の会話 1

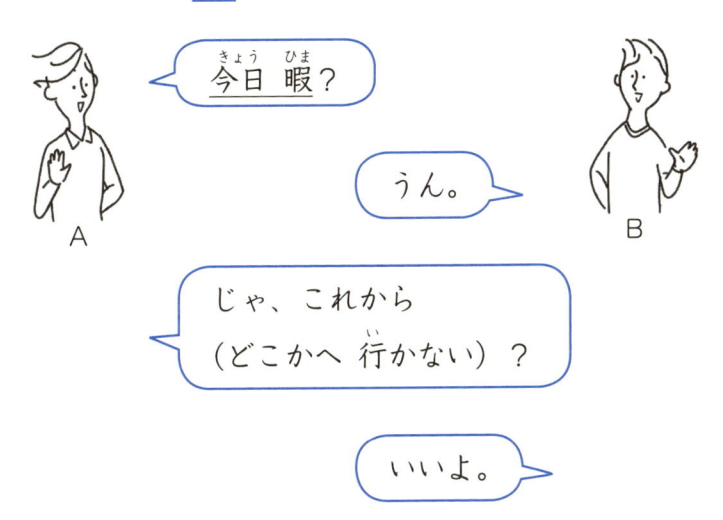

A：今日 暇？
B：うん。
A：じゃ、これから（どこかへ 行かない）？
B：いいよ。

例）今日 暇ですか
1）午後 時間が ありますか
2）テニスが 好きですか
3）宿題が 終わりましたか
4）（　　　　　）

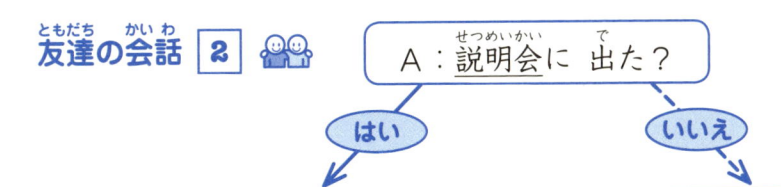

友達の会話 2

A：説明会に 出た？

はい →
B1：うん、出たよ。
A1：どうだった？
B1：（役に 立った）よ。

いいえ →
B2：ううん、出なかった。
A2：そう。
B2：（ちょっと 用事が あった）から。

例）説明会　1）忘年会　2）ミーティング　3）送別会

19

使いましょう 1

A：国際結婚について どう 思いますか。
B：(言葉や 習慣が 違います) から、(大変だ) と 思います。

(留学 ・ 日本の 会社 ・ 国際結婚) について どう 思いますか。		
例）(B) さん	大変だ	言葉や 習慣が 違います
1) (　) さん		
2) (　) さん		
3) (　) さん		

> わたしは 国際結婚に ついて 聞きました。
> (B) さんは 言葉や 習慣が 違うから 大変だと 言いました。(　) さんは ＿＿＿＿＿＿ と 言いました。
> わたしは ＿＿＿＿＿＿＿＿＿＿＿＿ と 思います。

使いましょう 2

11月3日（金）晴れ
　キムさんと ハイキングに 行った。とても 暖かくて、いい 天気だった。バスを 降りて、少し 森の 中を 歩いてから、山に 登った。木の 上に きれいな 鳥が いた。山の 上から 川や 港が 見えた。お弁当を 食べたり、写真を 撮ったり した。疲れたが、本当に 気持ちが よかった。楽しかったから、ぜひ また 行きたいと 思う。

　　月　　日（　）
＿＿＿＿＿＿＿＿＿＿＿＿＿＿＿＿＿＿＿＿＿＿
＿＿＿＿＿＿＿＿＿＿＿＿＿＿＿＿＿＿＿＿＿＿

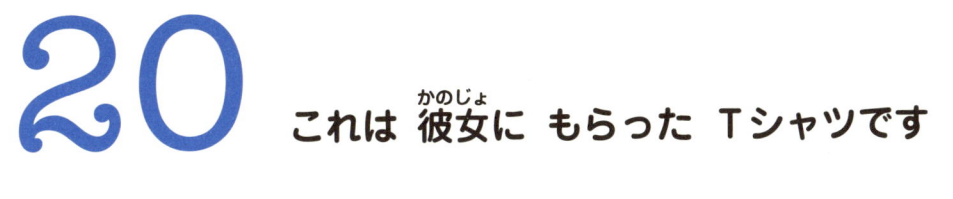

20 これは 彼女に もらった Tシャツです

CD-41

ジョーダン：ポンさん、その Tシャツ、いいですね。

チャチャイ：ありがとう。

ジョーダン：新しい Tシャツですか。

チャチャイ：ええ、まあ。

ジョーダン：わたしも 新しい Tシャツが 欲しいですが、買い物に 行く 時間が ありません。

チャチャイ：そうですか。わたしは よく インターネットで 買い物を して います。

ジョーダン：じゃ、それも インターネットで 買った ものですか。

チャチャイ：いいえ、これは 彼女に もらった Tシャツです。

ジョーダン：いいなあ。

20

1. ［掃除を　　　する］ロボット
   ［アンさんが　つくった］

2. これは ［掃除を　　　する］ロボットです。
   　　　　［アンさんが　つくった］

   木村さんは ［掃除を　　　する］ロボットを 買いました。
   　　　　　　［アンさんが　つくった］

   ［掃除を　　　する］ロボットは 便利です。
   ［アンさんが　つくった］

----

① カエサルは サンダルを 履いて います。
② 食事は 1日に 2回だけでした。
③ 色も デザインも 大好きです。

20

CD-42
1. 歌を 歌う 犬
   例) 歌を 歌います
   1) 2本の 足で 歩きます
   2) 買い物が できます
   3) 英語が 分かります
   4) 新聞を 持って 来ます
   5) ダンスが 上手です

2-1. これは 火を 消す ロボットです。

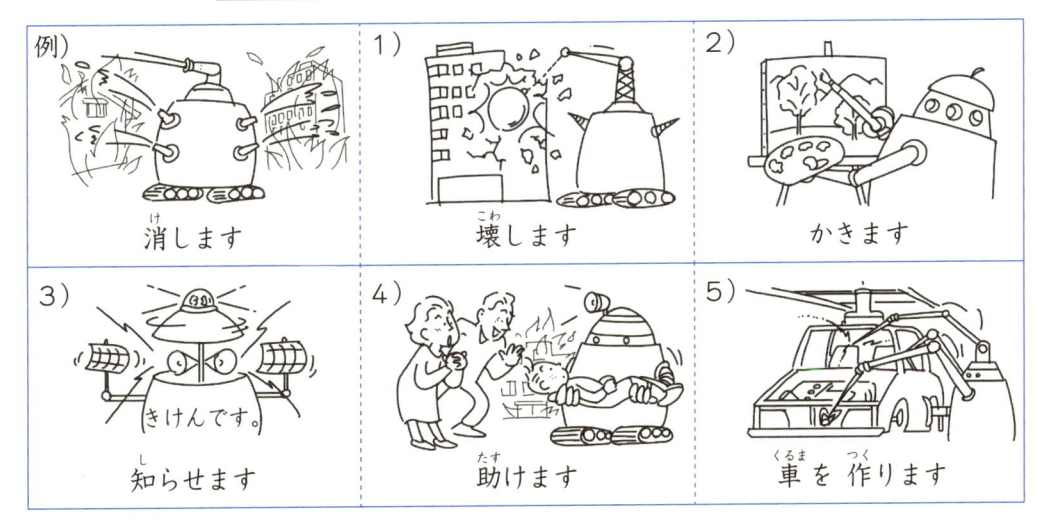

   例) 消します
   1) 壊します
   2) かきます
   3) 知らせます
   4) 助けます
   5) 車を 作ります

2-2. マリーさんは リンさんが 作った 料理を 食べました。

   例) リンさん・作りました
   1) アランさん・書きました
   2) 先輩・働いて います
   3) 先輩・設計しました

2-3.

わたしは ゆうべ 例)宇宙へ 行った 夢を 見ました。
わたしは 1)＿＿＿＿＿科学者と 一緒に 実験を しました。宇宙ステーションでは
2)＿＿＿＿＿犬と 遊んだり、
3)＿＿＿＿＿家族と 話したり しました。
食事は 1日に 2回だけでしたが、
4)＿＿＿＿＿野菜は おいしかったです。
5)＿＿＿＿＿地球は 青くて きれいでした。

1) いろいろな 国から 来ました
2) 宇宙で 生まれました
3) 地球に います
4) バイオ技術で 育てました
5) 宇宙ステーションから 見ました

わたしは (　　　　　　　　　　　　　　　)夢を 見ました。

2-4. P.194

A サンダルを 履いて いる 人は だれですか。

B カエサルです。

例) カエサル
4) ジョン・レノン
5) チャップリン
6) クレオパトラ

2-5. P.194

A お金を 入れる ものは 何ですか。

B 財布です。

	クイズ 問題		クイズ 答え		
例) 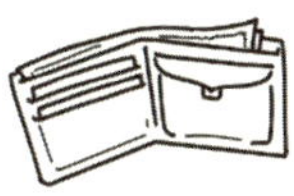 さいふ	1)  ケーキ	2) 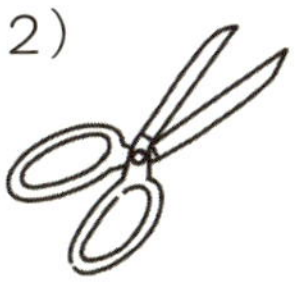 はさみ	3)	4)	5)

20

使いましょう 1

これは（彼女に もらった Tシャツ）です。（色も デザインも 大好きですから、毎日 この シャツを 着て います）。

使いましょう 2　P.195

1) テーマを 決める
   朝ご飯・テレビ・料理・運動

   朝ご飯の アンケート
   1. 朝ご飯を 食べますか。
      ①毎日　②時々　③いいえ
   2. 何を 食べますか。
      ①パン　②ご飯　③その 他
      （　　　）

2) シートを 作る

3) アンケートを する

4) まとめる

   1. ①毎日（10）人　②時々（2）人
      ③いいえ（8）人
   2. ①パン（5）人　②ご飯（3）人
      ③その 他（4）人

5) 発表する

   わたしたちは（朝ご飯）に ついて（20）人に アンケートを しました。（毎日 食べる）人は（10）人、（時々 食べる）人は（2）人、（食べない）人は（8）人でした。わたしは（朝ご飯を 食べる 人が とても 多い）と 思いました。以上です。

21 雨が 降ったら、ツアーは 中止です

CD-43

キム：すみません。ハイキングの ツアーの 申し込みは ここですか。
田中：はい、この 申込書に 書いて ください。

キム：はい。
田中：書いたら、この 箱に 入れて ください。

キム：はい。あのう、雨でも ツアーが ありますか。
田中：いいえ、雨が 降ったら、中止です。
　　　心配だったら、朝 ここに 電話を して ください。

キム：分かりました。
田中：朝 8時までに 学校に 来て ください。

21

1. ⎡雪が たくさん ふった　⎤ら、早く うちへ 帰ります。
   ⎢残業が　　　なかった　⎥
   ⎢頭が　　　　いたかった⎥
   ⎢仕事が　　　ひまだった⎥
   ⎣子供が　　　病気だった⎦

2. ⎡駅に　　　ついた　⎤ら、電話して ください。
   ⎣仕事が おわった　⎦

3. ⎡宿題が　　　あって　⎤も、コンサートに 行きます。
   ⎢お金が　　　なくて　⎥
   ⎢チケットが たかくて　⎥
   ⎣　　　　3万円で　　　⎦

....

① 地震が 起きます。
② 8時までに 来て ください。
③ 学校に 来て ください。

1-1. 道に 迷ったら、交番で 聞きます。

例) 道に 迷います ・　　　　　　　・ 机の 下に 入ります
1) キャッシュカードを なくします ・　　　　　　　・ 警察に 電話を します
2) 交通事故に 遭います ・　　　　　　　・ 交番で 聞きます
3) 地震が 起きます ・　　　　　　　・ すぐ 銀行に 連絡します

1-2. A：わたしの 車を 買いませんか。
B：車ですか。そうですね……。
20万円以下だったら、買いたいです。

例) 20万円以下　1) きれい　　2) エンジンの 調子が いい
3) 6人乗り　　4) 中が 広い　5) (　　　　　　)

1-3. A：試験の とき、受験票を 忘れたら、どう しますか。
B：(先生に 言います)。

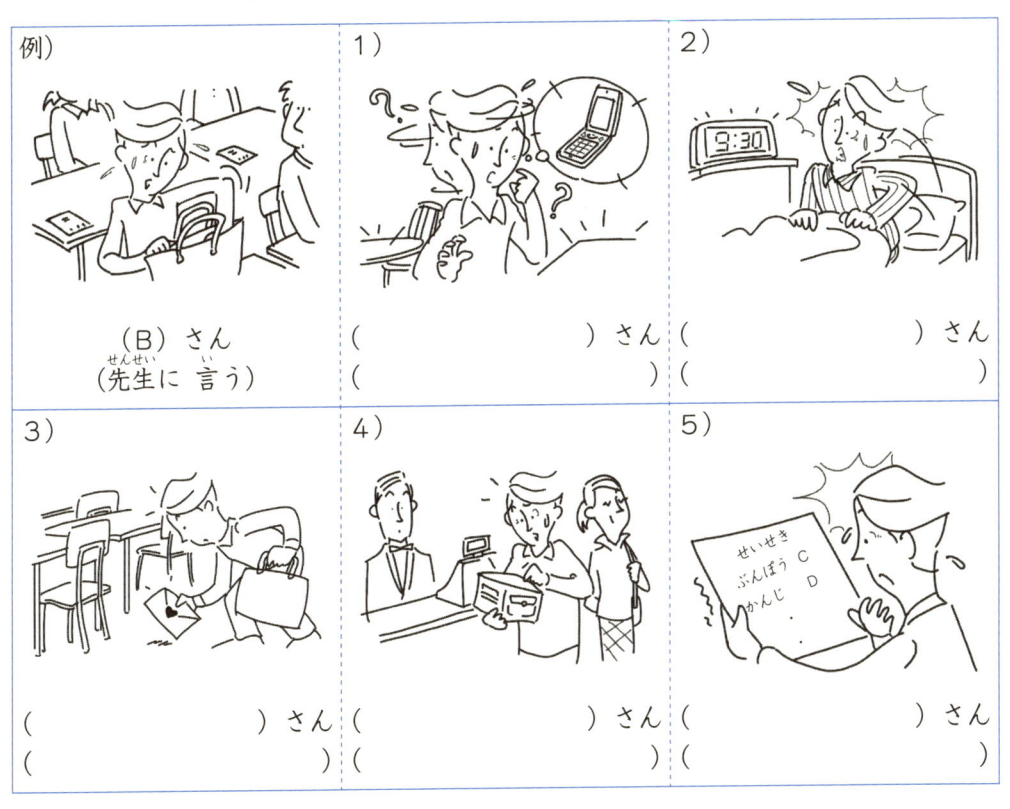

例) (B) さん
(先生に 言う)

1) (　　　) さん
(　　　)

2) (　　　) さん
(　　　)

3) (　　　) さん
(　　　)

4) (　　　) さん
(　　　)

5) (　　　) さん
(　　　)

21

2-1. 駅に着いたら、電話をしてください。

例) 駅に着く　　1) この仕事が終わる　　2) 荷物が届く
3) あした母が来る　　4) 授業が始まる　　5) 桜が咲く

2-2.

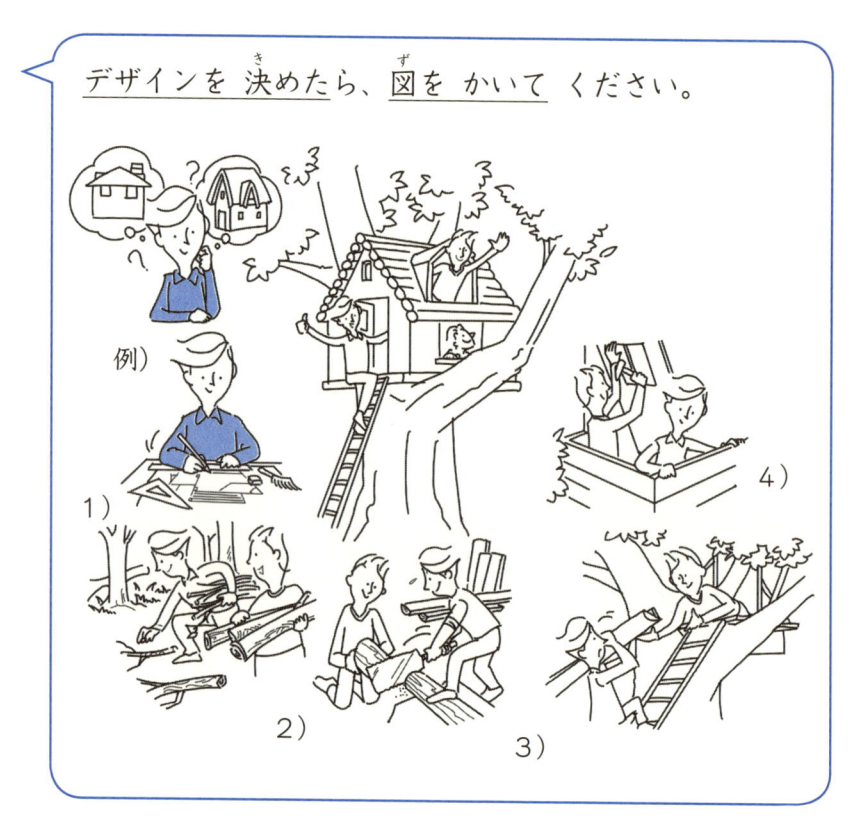

デザインを決めたら、図をかいてください。

はい、分かりました。

3-1. 本を 読んでも、分かりません。

3-2. お金が なくても、(彼)と 結婚したいです。

例) お金が ない
1) 仕事を して いない
2) 力が 弱い
3) 年が 10歳下だ
4) 蛇が 好きだ
5) (　　　　　　　)

3-3. A：これは 食べても 太らない ケーキです。
　　　 B：えっ？ 本当ですか。すごいですね。

21

3-4.

部屋が 狭くても、幸せです。

猫が いたら、幸せです。

例1）
1）
2）
例2）
3）
4）

使いましょう

A ：あなたの 子供が 電車の 中で お菓子を 食べたら、注意しますか。
B１：はい、お菓子を 食べたら、注意します。
B２：いいえ、お菓子を 食べても、注意しません。

	（　　）さん
例）電車の 中で お菓子を 食べる	はい ・ いいえ
1）勉強しない	はい ・ いいえ
2）けんかする	はい ・ いいえ
3）好き嫌いする	はい ・ いいえ
4）学校を サボる	はい ・ いいえ
5）（　　　　　　　　　　）	はい ・ いいえ

「はい」5－6：（　）さんは 厳しい 親です。
「はい」2－4：（　）さんは 普通の 親です。
「はい」0－1：（　）さんは 甘い 親です。

はい（　）
いいえ（　）

22 食事を 作って くれました

CD-45

セルカン：渡辺さん、いろいろ お世話に なりました。

渡辺　　：いいえ、こちらこそ。

セルカン：病気の とき、食事を 作って くれましたね。

渡辺　　：あ、そうでしたね。

セルカン：とても うれしかったです。
　　　　　本当に どうも ありがとう ございました。

渡辺　　：わたしも いろいろ 教えて もらって、トルコの ことが よく 分かりました。インターンシップは いつからですか。

セルカン：来週からです。

渡辺　　：長崎へ 行っても、頑張って ください。

セルカン：はい。機会が あったら、長崎へ 遊びに 来て ください。

渡辺　　：どうも ありがとう。どうぞ お元気で。

22

1. 渡辺さんは わたしに ［本 / お土産］を くれました。

2. 渡辺さんは わたしに 日本の 歌を ［おしえて / うたって］くれました。

3. わたしは 渡辺さんに 日本の 歌を ［おしえて / うたって］もらいました。

4. わたしは 渡辺さんに わたしの 国の 歌を ［おしえて / うたって］あげました。

....

① A：だれが 浴衣を 貸して くれましたか。
　 B：渡辺さんが 貸して くれました。

② トルコ語を 教えて くれて、ありがとう。

1. 渡辺さんは わたしに 人形を くれました。

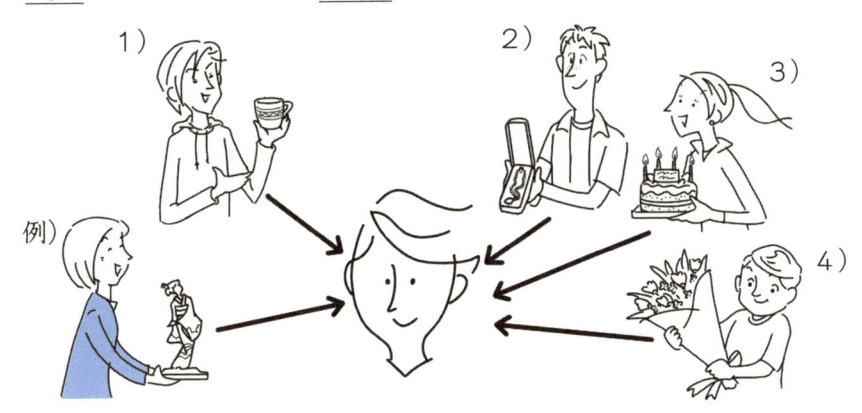

2-1.  マリーさんは わたしに ハンカチを 貸して くれました。

2-2. A:だれが 浴衣を 貸して くれましたか。
B:(渡辺さん)が 貸して くれました。

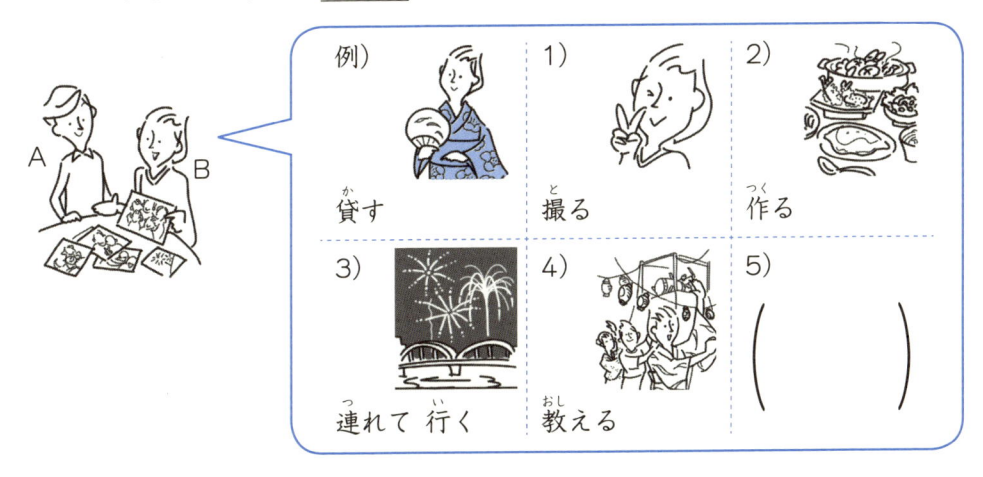

例) 貸す
1) 撮る
2) 作る
3) 連れて 行く
4) 教える
5) ( )

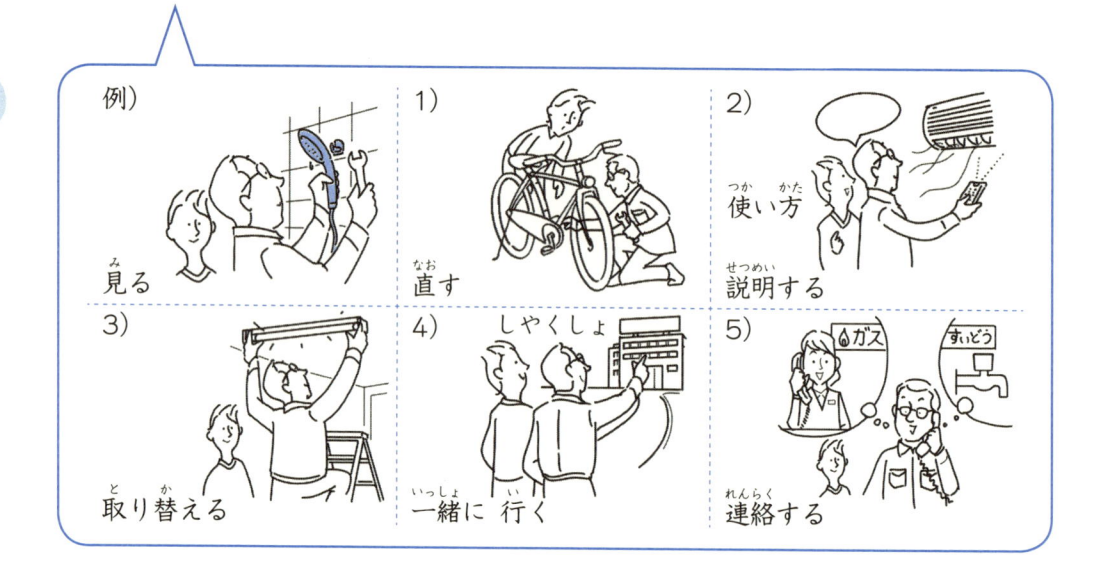

3.	A：シャワーは 大丈夫ですか。
　　　B：ええ。岩崎さんに 見て もらいました。

例) 見る
1) 直す
2) 使い方 説明する
3) 取り替える
4) 一緒に 行く
5) 連絡する

4.	A：友達が けがを したら、何を して あげますか。
　　　B：(ご飯を 作って) あげます。

	(　　　) さん	(　　　) さん
例) けがを する	ご飯を 作って あげる	
1) 国から 来る		
2) 試験に 合格する		

友達が けがを したら、(B) さんは (ご飯を 作って) あげる
と 言いました。わたしは (買い物を して) あげます。

友達の会話 1

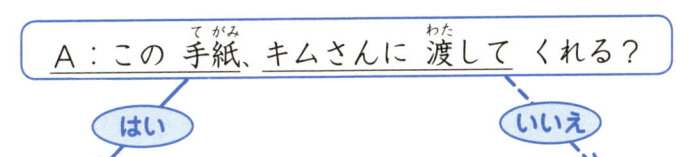

A：この 手紙、キムさんに 渡して くれる？

はい → B1：うん。いいよ。

いいえ → B2：ごめん。今 ちょっと……。

例) この 手紙・キムさんに 渡す
1) ノート・見せる
2) 自転車・貸す
3) 掃除・手伝う
4) 答え・チェックする

友達の会話 2

エアコン、つけて くれる？

はい。分かりました。

例) エアコン・つける
1) コピー・配る
2) プロジェクター・セットする
3) 机・並べる
4) いす・持って 来る

使いましょう 1

A：皆さん、ありがとう。いろいろ お世話に なりました。
B：ケラムさん、お元気で。また 会いましょう。

ケラムさん、お元気で!!

料理を 作って くれて、ありがとう！（　　　　　　　）
トルコ語を 教えて くれて、ありがとう。（　　　　　　　）

使いましょう 2

宛先（表面）:

〒112-0002
東京都文京区小石川
8-3-1203
渡辺 あき 様

850-0923
長崎県上田市上田 30
ケラム・セルカン

裏面:

渡辺さん

お元気ですか。
この間は 空港まで 来て くれて、ありがとう ございました。
こちらは 東京より 暖かくて、天気が いい 日は 部屋から 遠くの 島が 見えます。
インターンシップは あしたから 始まります。とても 楽しみです。
長崎は 面白い 町ですから、ぜひ 遊びに 来て ください。
皆様に よろしく。

ケラム・セルカン

まとめ 4 (19―22)

1.

例) たべる	たべない	たべた	たべなかった
いう	1)	2)	3)
ある	4)	5)	6)
くる	7)	8)	9)
たのしい	10)	11)	12)
ひつようだ	13)	14)	15)
びょうきだ	16)	17)	18)

2.

例)

今日は テストでした。僕は 消しゴムを 忘れました。石田さんが 消しゴムを 貸して くれました。僕は 消しゴムを 貸して もらって、うれしかったです。

1)

3.

わたしの 夢は 小学校の 図書室で 働く ことです。
　　　　　　　　　　　　　　　　　例）（働く ことだ）
小学校の とき、わたしは とても 寂しかったです。友達
　　　　　　　　　　　　　　　1)（　　　　　　　　）
が あまり いませんでしたから、いつも 図書室で 本を
　　　　　2)（　　　　　　　）
読んで いました。図書室が 好きでした。図書室の 先生は とても
3)（　　　　　　　）　　　　4)（　　　　　　　）
優しくて、いつも 面白い 本を 紹介して くれましたから。
　　　　　　　　　　　　　　5)（　　　　　　　　）
ある 日 わたしは 図書室に 入って、驚きました。たくさん
　　　　　　　　　　　　　　　　　6)（　　　　　　　）
人が いました。クラスの みんなでした。みんなは 大きい 声で
　　7)（　　　　）　　　　　8)（　　　　　　　）
言いました。
9)（　　　　　　）
「勇太君、お誕生日 おめでとう。」
先生が 後ろで 笑って いました。わたしは すぐ 分かりました。
　　　　　　　10)（　　　　　　　）　　　　　　　11)（　　　　　　　）
【　A　】。とても うれしかったです。
　　　　　　　　12)（　　　　　　　）
わたしも 友達が いない 子供が いたら、同じ ことを
して あげたいです。
13)（　　　　　　　）

質問　【A】に 文を 入れて ください。どれが いいですか。
① みんなは 図書室の 先生が 好きです。
② 先生が みんなを 集めて くれました。
③ みんなが 図書室に います。

巻末

1. 資料
2. 索引
3. 学習項目一覧
4. インフォメーションギャップ
5. チャート

1. 資料

① 数（3）

0	ゼロ／れい				
1	いち	11	じゅういち		
2	に	12	じゅうに		
3	さん	13	じゅうさん		
4	よん／し	14	じゅうよん／じゅうし		
5	ご	15	じゅうご		
6	ろく	16	じゅうろく		
7	なな／しち	17	じゅうなな／じゅうしち		
8	はち	18	じゅうはち		
9	きゅう／く	19	じゅうきゅう／じゅうく		
10	じゅう	20	にじゅう		

10	じゅう	100	ひゃく	1,000	せん
20	にじゅう	200	にひゃく	2,000	にせん
30	さんじゅう	300	さんびゃく	3,000	さんぜん
40	よんじゅう	400	よんひゃく	4,000	よんせん
50	ごじゅう	500	ごひゃく	5,000	ごせん
60	ろくじゅう	600	ろっぴゃく	6,000	ろくせん
70	ななじゅう／しちじゅう	700	ななひゃく	7,000	ななせん
80	はちじゅう	800	はっぴゃく	8,000	はっせん
90	きゅうじゅう	900	きゅうひゃく	9,000	きゅうせん

10,000	いちまん
100,000	じゅうまん
1,000,000	ひゃくまん
10,000,000	せんまん
100,000,000	いちおく

24.76	にじゅうよんてんななろく
0.95	れいてんきゅうご
$\frac{1}{2}$	にぶんの いち
$\frac{3}{4}$	よんぶんの さん

② 時刻(じこく) (5)

	一時(じ)
1	いちじ
2	にじ
3	さんじ
4	よじ
5	ごじ
6	ろくじ
7	しちじ
8	はちじ
9	くじ
10	じゅうじ
11	じゅういちじ
12	じゅうにじ
?	なんじ

	一分(ふん/ぷん)
1	いっぷん
2	にふん
3	さんぷん
4	よんぷん
5	ごふん
6	ろっぷん
7	ななふん
8	はっぷん
9	きゅうふん
10	じゅっぷん
15	じゅうごふん
30	さんじゅっぷん / 半(はん)
?	なんぷん

③ 曜日(ようび) (5)

日曜日 (にちようび)
月曜日 (げつようび)
火曜日 (かようび)
水曜日 (すいようび)
木曜日 (もくようび)
金曜日 (きんようび)
土曜日 (どようび)
何曜日 (なんようび)

巻末 1. 資料(しりょう)

④ 昨日(きのう)、今日(きょう)、あした (4・5)

毎日(まいにち)	おととい	昨日(きのう)	今日(きょう)	あした	あさって
毎朝(まいあさ)		昨日の朝(きのうのあさ)	今朝(けさ)	あしたの朝(あさ)	
毎晩(まいばん)		昨日の晩(きのうのばん)	今晩(こんばん)	あしたの晩(ばん)	
毎年(まいとし)	おととし	去年(きょねん)	今年(ことし)	来年(らいねん)	再来年(さらいねん)
毎月(まいつき)		先月(せんげつ)	今月(こんげつ)	来月(らいげつ)	
毎週(まいしゅう)		先週(せんしゅう)	今週(こんしゅう)	来週(らいしゅう)	

⑤ カレンダー

	一月 (がつ) (6)		一年 (ねん) (11)
1	いちがつ	1	いちねん
2	にがつ	2	にねん
3	さんがつ	3	さんねん
4	しがつ	4	よねん
5	ごがつ	5	ごねん
6	ろくがつ	6	ろくねん
7	しちがつ	7	ななねん
8	はちがつ	8	はちねん
9	くがつ	9	きゅうねん
10	じゅうがつ	10	じゅうねん
11	じゅういちがつ		
12	じゅうにがつ		
		100	ひゃくねん
		1000	せんねん
?	なんがつ	?	なんねん

	一日 (6)				
1	ついたち	11	じゅういちにち	21	にじゅういちにち
2	ふつか	12	じゅうににち	22	にじゅうににち
3	みっか	13	じゅうさんにち	23	にじゅうさんにち
4	よっか	14	じゅうよっか	24	にじゅうよっか
5	いつか	15	じゅうごにち	25	にじゅうごにち
6	むいか	16	じゅうろくにち	26	にじゅうろくにち
7	なのか	17	じゅうしちにち	27	にじゅうしちにち
8	ようか	18	じゅうはちにち	28	にじゅうはちにち
9	ここのか	19	じゅうくにち	29	にじゅうくにち
10	とおか	20	はつか	30	さんじゅうにち
				31	さんじゅういちにち
				?	なんにち

⑥ 時間（12）

	一時間	一分
1	いちじかん	いっぷん
2	にじかん	にふん
3	さんじかん	さんぷん
4	よじかん	よんぷん
5	ごじかん	ごふん
6	ろくじかん	ろっぷん
7	ななじかん しちじかん	ななふん
8	はちじかん	はっぷん
9	くじかん	きゅうふん
10	じゅうじかん	じゅっぷん
?	なんじかん	なんぷん

	一日	一週間	一か月	一年
1	いちにち	いっしゅうかん	いっかげつ	いちねん
2	ふつか	にしゅうかん	にかげつ	にねん
3	みっか	さんしゅうかん	さんかげつ	さんねん
4	よっか	よんしゅうかん	よんかげつ	よねん
5	いつか	ごしゅうかん	ごかげつ	ごねん
6	むいか	ろくしゅうかん	ろっかげつ 半年（はんとし）	ろくねん
7	なのか	ななしゅうかん	ななかげつ	ななねん
8	ようか	はっしゅうかん	はちかげつ はっかげつ	はちねん
9	ここのか	きゅうしゅうかん	きゅうかげつ	きゅうねん
10	とおか	じゅっしゅうかん	じゅっかげつ	じゅうねん
?	なんにち	なんしゅうかん	なんかげつ	なんねん

一年6か月 ＝ 一年半

⑦ 数え方(かぞえかた)

巻末 1. 資料(しりょう)

		一つ	一人	一歳(さい)	一階(かい/がい)
	1	ひとつ	ひとり	いっさい	いっかい
	2	ふたつ	ふたり	にさい	にかい
	3	みっつ	さんにん	さんさい	さんがい
	4	よっつ	よにん	よんさい	よんかい
	5	いつつ	ごにん	ごさい	ごかい
	6	むっつ	ろくにん	ろくさい	ろっかい
	7	ななつ	なにん / しちにん	ななさい	ななかい
	8	やっつ	はちにん	はっさい	はっかい
	9	ここのつ	きゅうにん	きゅうさい	きゅうかい
	10	とお	じゅうにん	じゅっさい	じゅっかい
	?	いくつ	なんにん	なんさい	なんがい
		10	8	5	3

		一枚(まい)	一台(だい)	一回(かい)	一本(ほん/ぽん/ぼん)
	1	いちまい	いちだい	いっかい	いっぽん
	2	にまい	にだい	にかい	にほん
	3	さんまい	さんだい	さんかい	さんぼん
	4	よんまい	よんだい	よんかい	よんほん
	5	ごまい	ごだい	ごかい	ごほん
	6	ろくまい	ろくだい	ろっかい	ろっぽん
	7	ななまい	ななだい	ななかい	ななほん
	8	はちまい	はちだい	はっかい	はっぽん
	9	きゅうまい	きゅうだい	きゅうかい	きゅうほん
	10	じゅうまい	じゅうだい	じゅっかい	じゅっぽん
	?	なんまい	なんだい	なんかい	なんぼん
		10	10	18	20

⑧ 家族の 呼び方 (9・10・22)

わたしの 家族

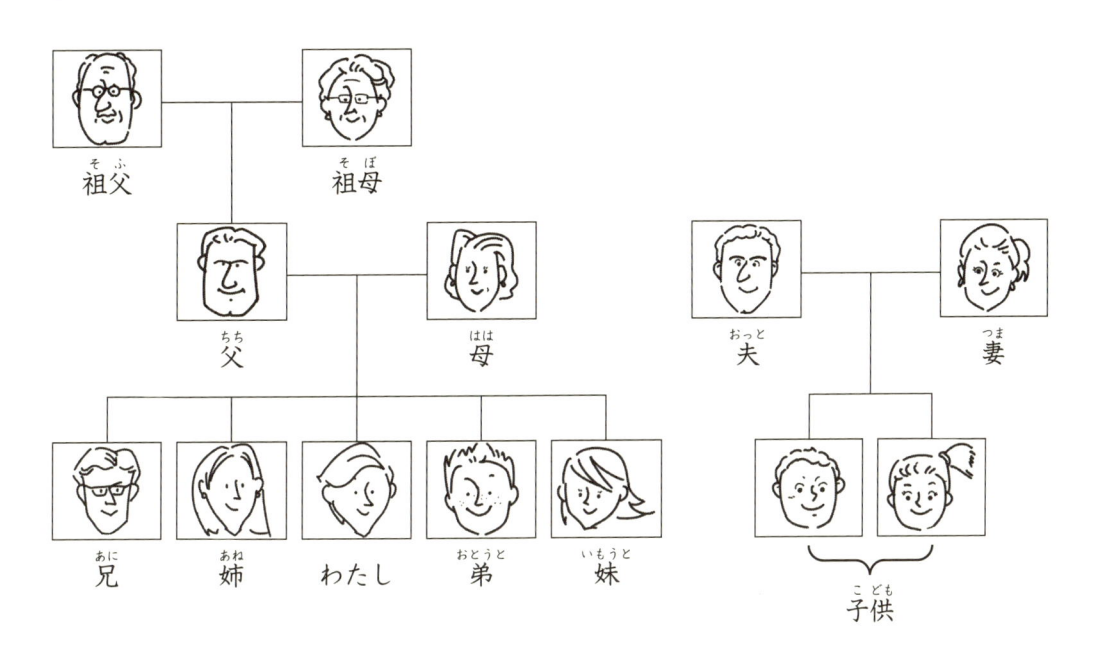

- そふ 祖父
- そぼ 祖母
- ちち 父
- はは 母
- おっと 夫
- つま 妻
- あに 兄
- あね 姉
- わたし
- おとうと 弟
- いもうと 妹
- こども 子供

山田さんの ご家族

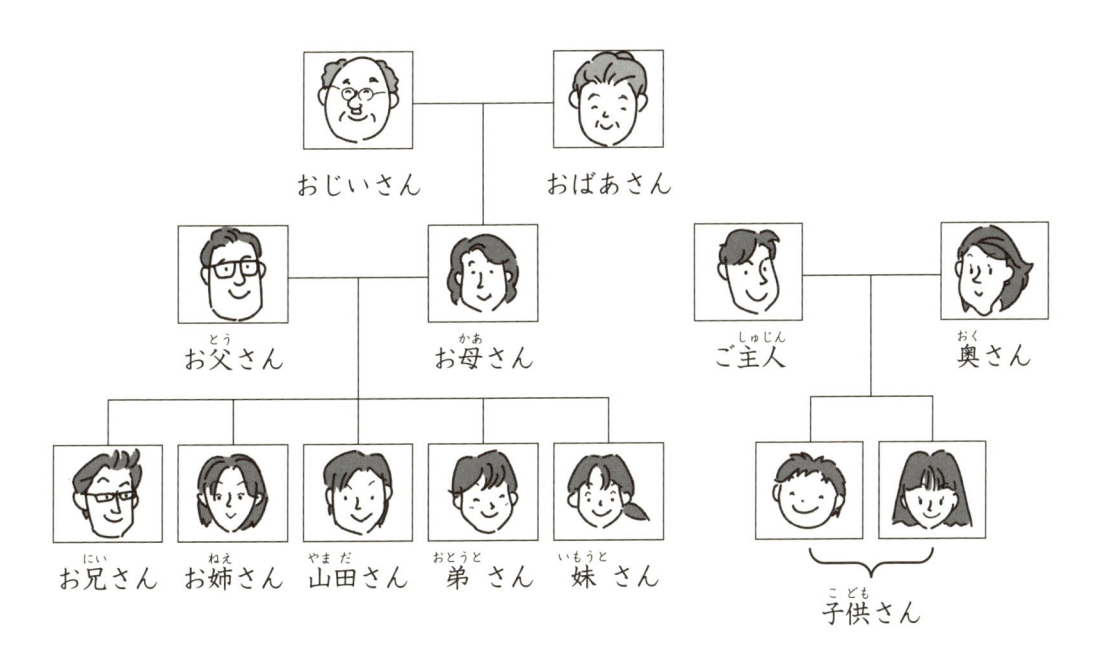

- おじいさん
- おばあさん
- お父さん
- お母さん
- ご主人
- 奥さん
- お兄さん
- お姉さん
- 山田さん
- 弟さん
- 妹さん
- 子供さん

巻末
1. 資料

⑨ 動詞の形

	14 辞書形	17 ない形	4 ます形
I	かう かく いそぐ はなす まつ しぬ あそぶ よむ とる	かわない かかない いそがない はなさない またない しなない あそばない よまない とらない	かいます かきます いそぎます はなします まちます しにます あそびます よみます とります
II	たべる ねる みる かりる	たべない ねない みない かりない	たべます ねます みます かります
III	くる する さんぽする	こない しない さんぽしない	きます します さんぽします
	〜ことです　　　　(14) 〜ことが できます (14) 〜まえに　　　　　(14)	〜ないで ください　(17) 〜なくても いいです (17)	〜ませんか　　(6) 〜ましょう　　(8) 〜たいです　　(13) 〜に いきます　(13) 〜ましょうか　(13) 〜かた　　　　(13)

⑩ 動詞、い形容詞、な形容詞、名詞の形

		動詞	い形容詞
丁寧形		かきます	おおきいです
		かきません	おおきくないです
		かきました	おおきかったです
		かきませんでした	おおきくなかったです
普通形		かく	おおきい
		かかない	おおきくない
		かいた	おおきかった
		かかなかった	おおきくなかった
て形		かいて	おおきくて

巻末

1. 資料(しりょう)

15	18
て形(けい)	た形(けい)
かって かいて いそいで はなして まって しんで あそんで よんで とって	かった かいた いそいだ はなした まった しんだ あそんだ よんだ とった
たべて ねて みて かりて	たべた ねた みた かりた
きて して さんぽして	きた した さんぽした
～ください　　　　(15) ～くださいませんか　(15) ～います　　　　(15・16) ～も いいです　　(16) ～は いけません　(16) ～、～　　　　　　(16) ～から　　　　　　(17) ～も　　　　　　　(21) ～くれます　　　　(22) ～もらいます　　　(22) ～あげます　　　　(22)	～ことが あります　(18) ～り、～り します　(18) ～あとで　　　　　(18) ～ら　　　　　　　(21)

な形容詞(けいようし)	名詞(めいし)	
ひまです	やすみです	
ひまじゃ ありません	やすみじゃ ありません	
ひまでした	やすみでした	
ひまじゃ ありませんでした	やすみじゃ ありませんでした	
ひまだ	やすみだ	～と おもいます　(19)
ひまじゃ ない	やすみじゃ ない	～と いいます　　(19)
ひまだった	やすみだった	
ひまじゃ なかった	やすみじゃ なかった	
ひまで	やすみで	

159

⑪ その ほかの 普通形

丁寧形		普通形
（ます形）たいです	(13)	（ます形）たい
（辞書形）ことが できます	(14)	（辞書形）ことが できる
（て形）います	(15・16)	（て形）いる
（て形）も いいです	(16)	（て形）も いい
（て形）は いけません	(16)	（て形）は いけない
（ない形）なくても いいです	(17)	（ない形）なくても いい
（た形）ことが あります	(18)	（た形）ことが ある
（た形）り、（た形）り します	(18)	（た形）り、（た形）り する

⑫ 友達の 会話

動詞	書く？	―うん、書く。 ―ううん、書かない。
	書いた？	―うん、書いた。 ―ううん、書かなかった。
い形容詞	大きい？	―うん、大きい。 ―ううん、大きくない。
	大きかった？	―うん、大きかった。 ―ううん、大きくなかった。
な形容詞	暇？	―うん、暇。 ―ううん、暇じゃ ない。
	暇だった？	―うん、暇だった。 ―ううん、暇じゃ なかった。
名詞	休み？	―うん、休み。 ―ううん、休みじゃ ない。
	休みだった？	―うん、休みだった。 ―ううん、休みじゃ なかった。
～ください	書いて。	
	書かないで。	
～ませんか	一緒に 書かない？	―うん、いいよ。

2. 索引

あ	
あ	12
あいだ　間	8
あう（ともだちに〜）	
会う（友達に〜）	6
あう（じこに〜）	
遭う（事故に〜）	21
あおい　青い	7
あか　赤	12
あかい *　赤い	7
あがる　上がる	15
あかるい　明るい	11
あき　秋	11
あくしゅ　握手	18
あける　開ける	9
あげる	10
あさ　朝	5
あさごはん *　朝ご飯	4
あさって *	4
あさねぼう　朝寝坊	21
あし　足	11
あした	4
あそこ	3
あそぶ　遊ぶ	13
あたたかい　暖かい	11
あたま　頭	11
あたらしい　新しい	7
あちら *	22
あつい　暑い	9
あつめる　集める	15
〜 あとで	18
アドレス	17
アナウンス	9
あなた	まとめ3
あに　兄	9
アニメ	7
あね　姉	9
あの	2
あのう	16
アパート	7
あびる［シャワーを〜］	
浴びる［シャワーを〜］	14
あぶない　危ない	15
あまい（ジュース）	
甘い（ジュース）	9
あまい（おや）　甘い（親）	21
あまり	7
あめ　雨	9
あやまる　謝る	17
あらう　洗う	13
ありがとう。	12
ありがとう ございます。	
はじめましょう	13
ある（つくえが〜）	
ある（机が〜）	8
ある（じかんが〜）	
ある（時間が〜）	9
ある（しあいが〜）	
ある（試合が〜）	17
ある 〜	まとめ4
あるいて　歩いて	6
あるく　歩く	19
アルバイト	5
あれ	2

161

アンケート	20	いつでも いいです。	18
		いつも	4
い		いぬ　犬	8
いい	7	いま　今	5
いいえ	1	いま なんじですか。	
いいえ、こちらこそ。	22	今 何時ですか。	はじめましょう
いいえ、わかりません。		いもうと　妹	9
いいえ、分かりません。	はじめましょう	いもうとさん　妹さん	9
いいですね。	6	いらっしゃいませ。	10
いいですよ。	15	いる	8
いいなあ。	20	いれる（にくを～）	
いう　言う	15	入れる（肉を～）	15
いえ　家	21	いれる（コーヒーを～）	
～いか　～以下	21	入れる（コーヒーを～）	16
いく　行く	6	いろ　色	10
いくつ	10	いろいろ［な］	まとめ2
いくら	3	～いん　～員	1
いけ　池	17	インターネット	5
いけばな　生け花	14	インターンシップ	22
いしゃ　医者	19	インフルエンザ	19
～いじょう*　～以上	21		
いじょうです。　以上です。	20	**う**	
いす	8	ううん	17
いそがしい*　忙しい	8	うーん	9
いそぐ　急ぐ	15	うえ　上	8
いたい　痛い	13	うけつけ　受付	3
いただきます。	はじめましょう 15	うける［しけんを～］	
いち　一	はじめましょう 3	受ける［試験を～］	17
いちご	11	うしろ　後ろ	8
いちねん　1年	11	うた　歌	9
いちばん	7	うたう　歌う	8
いつ	6	うち	4
いつか　5日	6	うちゅう　宇宙	20
いつが いいですか。	18	うちゅうステーション	
いっしょに　一緒に	6	宇宙ステーション	20
いつつ　5つ	10	うどん	2

うまれる　生まれる		20
うみ＊　　海		7
うるさい		11
うれしい		22
うん		14
うんてんする　運転する		17
うんどう　運動		20

え

え　　絵		9
エアコン		3
えいが　映画		4
えいご　英語		9
ええ		6
ええと		8
えき　　駅		3
えさ		17
えだ　　枝		17
えっ		18
えはがき　絵はがき		10
エレベーター		8
―えん　　―円		3
エンジニア		1
エンジン		21

お

おいしい		7
おいしいですね。		3
おいしゃさん　お医者さん		19
おうさま　王様		17
おおい　　多い		11
おおきい　大きい		7
おかあさん　お母さん		9
おかし　お菓子		16
おかね　お金		4
おきる（7じに～）		
起きる（7時に～）		5
おきる（じしんが～）		
起きる（地震が～）		21
おく　置く		16
おく　億		資料①
おくさん　奥さん		10
おくに　お国		1
おくには どちらですか。		
お国は どちらですか。		1
おくる　送る		10
おげんきで。　お元気で。		22
おげんきですか。		
お元気ですか。		22
おこる　怒る		17
おさけ　お酒		4
おさら　お皿		13
おじいさん＊		16
おしえる　教える		10
おしゃべり		21
おしろ　お城		16
おす　押す		17
おすもうさん　お相撲さん		5
おせわに なりました。		
お世話に なりました。		22
おそい＊　遅い		11
おだいじに。　お大事に。		19
おちゃ（ちゅうごくの～）		
お茶（中国の～）		3
おちゃ（～をならう）		
お茶（～を習う）		10
おっと　夫		10
おてつだい　お手伝い		16
おてら　お寺		6
おとうさん　お父さん		9
おとうと　弟		9

巻末

2.

索引

おとうとさん	弟さん	9	おろす [おかねを～] 下ろす [お金を～]	4
おとこ＊	男	8	おわりましょう。 終わりましょう。	はじめましょう
おとこのこ	男の子	8	おわる	終わる	5
おとこの ひと	男の 人	8	おんがく	音楽	4
おとす	落とす	21	おんせん	温泉	6
おととい＊		5	おんな＊	女	8
おととし		資料④	おんなのこ	女の子	8
おどり	踊り	16	おんなの ひと	女の 人	8
おどる	踊る	8			
おどろく	驚く	まとめ4	**か**		
おなかが すきました。		13	～が、～。		7
おなじ ～	同じ ～	まとめ4	カード		10
おなまえ	お名前	1	―かい／がい	―階	3
おなまえは？	お名前は？	1	～かい	～会	5
おにいさん	お兄さん	9	―かい	―回	18
おにぎり		12	かいぎしつ	会議室	3
おねえさん	お姉さん	9	かいしゃ	会社	はじめましょう 16
おばあさん＊		16	かいしゃいん	会社員	1
おはよう ございます。		はじめましょう 5	かいて ください。 書いて ください。		はじめましょう
おひめさま	お姫様	16	かいもの	買い物	9
おふろ	お風呂	5	かいわ	会話	5
おべんとう	お弁当	4	かう	買う	4
おまつり	お祭り	6	かえす	返す	13
おみあいする	お見合いする	9	かえる	帰る	6
おみやげ	お土産	8	かお＊	顔	11
おめでとう。		まとめ4	かがくしゃ	科学者	20
おもい	重い	12	かかる		12
おもいだす	思い出す	18	かきとめ	書留	10
おもう	思う	19	かく（なまえを～） 書く（名前を～）		4
おもしろい	面白い	7	かく [えを～]	かく [絵を～]	9
おや	親	21	がくせい	学生	1
おやこどん	親子どん	2	がくひ	学費	11
おゆ	お湯	17			
およぐ	泳ぐ	5			
おりる＊	降りる	14			
おる	折る	17			

～がくぶ　～学部		11
一かげつ　一か月		12
かける［でんわを～］		
かける［電話を～］		10
かける（しょうゆを～）		17
かける［めがねを～］		
掛ける［眼鏡を～］		20
かさ　傘		2
かし　菓子		16
かす　貸す		10
ガス		18
ガスがいしゃ　ガス会社		18
かぜ　風邪		19
かぞく　家族		9
～かた　～方		13
かたかな　片仮名		9
カタログ		2
一がつ　一月		6
がっこう　学校	はじめましょう	1
カップ	**まとめ3**	
かのじょ　彼女		14
かばん		2
かぶき　歌舞伎		18
かぶる［ぼうしを～］		
かぶる［帽子を～］		20
かみ　髪	**まとめ2**	
かみ　紙		20
かめ		16
カメラ		2
かようび　火曜日		5
～から		5
～から、～		9
からい*　辛い		9
カラオケ		14
～から きました。		
～から 来ました。		1

からだ*　体		11
からて　空手		14
かりる　借りる		10
かるい*　軽い		12
かれ　彼		14
カレー		4
かわ　川		19
かんきょう　環境		11
かんじ　漢字		5
かんせいする　完成する		18
かんたん［な］　簡単［な］		7
がんばって ください。		
頑張って ください。		13
がんばる　頑張る		17
かんりにん　管理人		1

き

き　木		8
きいて ください。		
聞いて ください。	はじめましょう	
きいろ　黄色		12
きが つく　気が つく		18
きかい　機械		16
きかい　機会		22
きかいこうがく　機械工学		16
きく（おんがくを～）		
聞く（音楽を～）		4
きく（でんわばんごうを～）		
聞く（電話番号を～）		16
きけん　危険		20
ギター		14
きたぐち*　北口		8
きって　切手		4
きのう　昨日		5
きびしい（れんしゅう）		
厳しい（練習）		12

巻末
2. 索引(さくいん)

きびしい（せんせい）厳しい（先生）		19
きます　来ます		6
きめる　決める		20
きもち　気持ち		19
きもの　着物		12
キャッシュカード		21
キャンパス		11
きゅう　九		はじめましょう 3
きゅうじゅう　九十		はじめましょう
ぎゅうどん　牛どん		2
ぎゅうにく　牛肉		2
ぎゅうにゅう　牛乳		4
きょう*　今日		4
きょうかい　教会		8
きょうし　教師		9
きょうしつ　教室		3
きょく　曲		14
きょねん　去年		6
きらい［な］　嫌い［な］		9
きる（シャツを〜）着る（シャツを〜）		12
きる（やさいを〜）切る（野菜を〜）		15
きる（でんげんを〜）切る（電源を〜）		17
きれい［な］		7
ぎんこう　銀行		3
ぎんこういん　銀行員		1
きんようび　金曜日		5

く

く　九		はじめましょう 3
〜く　〜区		22
クイズ		20
くうこう　空港		12
くじゃく		まとめ 2
くすり　薬		19
くだもの　果物		4
くち*　口		11
くつ　靴		3
くに　国		1
くばる　配る		22
くび　首		11
くみたてる　組み立てる		21
くもり*　曇り		19
くらい*　暗い		11
〜ぐらい		12
クラシック		4
クラス		10
くる　来る		6
くるま　車		2
くれる		22
くろい　黒い		7
〜くん　〜君		まとめ 4

け

けいえいする　経営する		16
けいこうとう　蛍光灯		22
けいざい　経済		11
けいざいがくぶ　経済学部		11
けいさつ　警察		はじめましょう 21
けいたいでんわ　携帯電話		はじめましょう 2
ケーキ		6
ゲーム		4
ゲームソフト		7
けが		22
けさ*　今朝		5
けしき　景色		12
けしゴム　消しゴム		まとめ 4
けす　消す		14

166

けっこんする	結婚する	16
げつようび	月曜日	5
〜けん	〜県	22
けんがく	見学	13
けんかする		21
げんき[な]	元気[な]	7
けんきゅういん	研究員	1
けんきゅうする	研究する	5

こ

ご	五	はじめましょう 3
〜ご	〜語	2
こいびと	恋人	18
こうえん	公園	4
こうがく	工学	13
ごうかくする	合格する	22
こうくうびん	航空便	10
こうこう	高校	17
こうこうせい	高校生	6
こうじょう	工場	13
こうちゃ	紅茶	2
こうつう	交通	21
こうつうじこ	交通事故	21
こうはい*	後輩	10
こうばん	交番	8
こえ	声	まとめ 4
コート（くろい〜） コート（黒い〜）		7
コート（バスケットボールの〜）		15
コーヒー		2
コーヒーカップ		まとめ 3
ごかぞく	ご家族	9
こくさいけっこん	国際結婚	19
ここ		3
ごご	午後	はじめましょう 5
ここのか	9日	6
ここのつ	9つ	10
ごじゅう	五十	はじめましょう
ごしゅじん	ご主人	10
ごぜん	午前	はじめましょう 5
こたえ	答え	はじめましょう まとめ 2
ごちそうさまでした。		はじめましょう
ごちゅうもん	ご注文	10
こちら		22
こちらこそ どうぞ よろしく おねがいします。（こちらこそ どうぞ よろしく。） こちらこそ どうぞ よろしく お願いします。		1
コップ		13
こと		22
ことし*	今年	6
ことば	言葉	まとめ 2
こども	子供	8
こどもさん*	子供さん	10
この		2
この あいだ	この 間	22
この まえ	この 前	14
ごはん*	ご飯	4
コピーき	コピー機	3
コピーする		15
ごみ		15
ごめん。		22
ごりょうしん	ご両親	9
ゴルフ		9
これ		2
これから		19
〜ごろ		5
こわい	怖い	12
こわす	壊す	20
こわれる	壊れる	21
こんげつ*	今月	6
コンサート		5

巻末 2. 索引

167

巻末 2. 索引（さくいん）

こんしゅう*	今週	5
こんで います	込んで います	19
こんど	今度	6
こんにちは。		はじめましょう
こんばん	今晩	4
こんばんは。		はじめましょう
コンビニ		3
コンピューター		2
コンピューターしつ	コンピューター室	3

さ

さあ		19
―さい	―歳	5
さいふ	財布	2
さがす	探す	18
さかな	魚	4
さきに	先に	17
さく	咲く	21
さくじょする	削除する	17
さくぶん	作文	17
さくら	桜	7
さけ	酒	4
サッカー		4
サッカーせんしゅ	サッカー選手	9
ざっし	雑誌	2
さとう	砂糖	2
さびしい	寂しい	まとめ4
サボる		21
～さま	～様	22
さむい*	寒い	9
さようなら。		はじめましょう
さら	皿	13
さらいねん	再来年	資料④
サラダ		6

さわる	触る	16
さん	三	はじめましょう 3
～さん		1
ざんぎょう	残業	21
さんこうしょ	参考書	15
さんじゅう	三十	はじめましょう 3
サンダル		20
サンドイッチ		10
ざんねん[な]	残念[な]	9
さんぽする	散歩する	9

し

し	四	はじめましょう 3
～し	～市	22
―じ	―時	はじめましょう 5
しあい	試合	17
しあわせ[な]	幸せ[な]	21
CD		2
シート		20
J-ポップ*		4
しお	塩	2
じかん	時間	9
―じかん	―時間	12
しけん	試験	はじめましょう 17
じこ	事故	21
しごと	仕事	11
じしょ	辞書	3
じしん	地震	21
しずか[な]	静か[な]	7
した	下	8
しち	七	はじめましょう 3
しちじゅう	七十	はじめましょう
しちょう	市長	13
～しつ	～室	3
じっけん	実験	20
しっぱいする	失敗する	18

しつもん	質問	はじめましょう	4
しつれいします。 失礼します。		はじめましょう	15
じてんしゃ	自転車		6
じどうはんばいき	自動販売機		8
しぬ	死ぬ		14
—じはん	—時半	はじめましょう	5
じぶんで	自分で		14
しま	島		12
します			4
じむしつ	事務室		3
じゃ			3
シャープペンシル			2
しやくしょ	市役所	はじめましょう	13
しゃしん	写真		7
ジャズ*			4
シャツ			10
シャワー			14
じゅう	十	はじめましょう	3
じゅういち	十一	はじめましょう	
しゅうかん	習慣		19
—しゅうかん	—週間		12
じゅうきゅう	十九	はじめましょう	
じゅうく	十九	はじめましょう	
じゅうご	十五	はじめましょう	
じゅうさん	十三	はじめましょう	
じゅうし	十四	はじめましょう	
じゅうしち	十七	はじめましょう	
じゅうしょ	住所		15
ジュース			2
じゅうどう	柔道		11
じゅうなな	十七	はじめましょう	
じゅうに	十二	はじめましょう	
じゅうはち	十八	はじめましょう	
しゅうまつ	週末		6
じゅうよっか	14日		6

じゅうよん	十四	はじめましょう	
しゅうりする	修理する		15
じゅうろく	十六	はじめましょう	
じゅぎょう	授業		12
しゅくだい	宿題	はじめましょう	4
じゅけんひょう	受験票		21
しゅじん	主人		10
しゅみ	趣味		1
しゅるい	種類		19
じゅんび	準備		12
～しょ	～書		21
しょうかいする	紹介する		21
しょうがっこう	小学校	まとめ	4
じょうず[な]	上手[な]		9
しょうぼうしょ	消防署	はじめましょう	
しょうゆ			2
しょうらい	将来		13
ジョギング			4
しょくじする	食事する		6
しょくどう	食堂		3
しらせる	知らせる		20
しりょう	資料		15
しる	知る		16
しろ	城		16
しろい	白い		7
～じん	～人		1
しんかんせん	新幹線		6
じんこう	人口		19
しんせつ[な]	親切[な]		7
しんぱい[な]	心配[な]		21
しんぶん	新聞		2

す

ず	図		21
すいえい	水泳		1
すいか			11

すいせんじょう 推薦状		15
すいどう* 水道		18
すいようび 水曜日		5
すう［たばこを～］		
吸う［たばこを～］		16
スーパー		4
スカート		20
スキー		13
すき［な］ 好き［な］		9
すききらいする 好き嫌いする		21
すきやき すき焼き		2
すぐ（～くる） すぐ（～来る）		15
すぐ（えきから～）		
すぐ（駅から～）		16
すくない* 少ない		11
スケート		11
すごい		16
すこし 少し		9
すし		9
すずしい* 涼しい		11
ずっと		11
ステーキ		10
すてき［な］		10
すてる 捨てる		15
スノーボード		14
スパゲティ		10
スピーチ		14
スプーン		10
スポーツ		7
すみません。（～。ちょっと……。）		
	はじめましょう	6
すみません。（～。おなまえは？）		
（～。お名前は？）		1
すみませんが、～		15
すむ 住む		16
すもう 相撲		13

スリッパ		15
する		4
する（カレーに～）		10
する（ネクタイを～）		20
すわる 座る		14

せ

せ 背		11
～せい ～製		2
せいかつ 生活		7
ぜいきん 税金		17
せいせき 成績		21
セーター		10
せっけいする 設計する		20
せっけん 石けん		10
セットする		14
せつめい 説明		5
せつめいかい 説明会		5
ぜひ		18
せまい* 狭い		7
ゼロ	はじめましょう	3
せん／ぜん 千		3
せん 栓		17
せんげつ* 先月		6
せんしゅ 選手		9
せんしゅう 先週		5
せんせい（がっこうの～）		
先生（学校の～）		1
せんせい（おいしゃさんの～）		
先生（お医者さんの～）		17
ぜんぜん 全然		9
せんたく* 洗濯		9
せんたくき 洗濯機		3
せんぱい 先輩		10
ぜんぶ 全部		17

せんもんがっこう 専門学校		まとめ3

そ

そう		19
ぞう　象		18
そうじ　掃除		9
そうじき　掃除機		3
そうしんする　送信する		17
そうでしたね。		22
そうです。		1
そうですか。		1
そうですね。（～。ええと……。）		9
そうですね。（ええ、～。）		19
そうべつかい　送別会		19
ソース		2
そこ		3
そして		7
そだてる　育てる		20
そちら*		22
そつぎょうする　卒業する		17
そと*　外		8
その		2
そのた　その他		20
そば		2
そふ*　祖父		16
そぼ　祖母		16
それ		2
それから		4
それに		19

た

一だい　一台		10
だいがく　大学		1
だいがくいん　大学院		13
たいしかん　大使館		3

だいじょうぶ［な］ 大丈夫［な］		13
たいしょくする　退職する		16
だいすき［な］　大好き［な］		18
たいせつ［な］　大切［な］		11
だいたい		9
だいどころ　台所		15
たいふう*　台風		21
たいへん［な］　大変［な］		7
タオル		17
たかい　高い		7
たくさん		8
～だけ		20
だす　出す		18
たすける　助ける		16
たたみ　畳		14
～たち		12
たつ*　立つ		14
たてもの　建物		7
たのしい　楽しい		7
たのしみ　楽しみ		22
たのしみに　する 楽しみに　する		18
たばこ		16
たべもの　食べ物		7
たべる　食べる		4
たまご　卵		4
たりる　足りる		21
だれ		2
たんじょうび　誕生日		6
ダンス		14

ち

ちいさい　小さい		7
チェックする		16
ちかい*　近い		8

巻末 2. 索引

巻末
2.
索引

ちがいます。　違います。	3
ちがう　違う	19
ちかく　近く	8
ちかてつ　地下鉄	6
ちから　力	21
ちきゅう　地球	19
チケット	13
ちず　地図	3
ちち　父	9
ちゅういする　注意する	21
ちゅうがく　中学	17
ちゅうがくせい　中学生	16
ちゅうし　中止	21
ちゅうしゃ　注射	9
ちゅうしゃじょう　駐車場	11
ちゅうもん　注文	10
ちょうし　調子	21
チョコレート	3
ちょっと（さむかったです） ちょっと（寒かったです）	12
ちょっと（ようじが ある） ちょっと（用事が ある）	19
ちょっと……。	6

つ

ツアー	21
ついたち　1日	6
つうやく　通訳	9
つかう　使う	13
つかれました。　疲れました。	13
つかれる　疲れる	19
つき　月	19
つく　着く	21
つくえ　机	8
つくりかた　作り方	13
つくる　作る	5
つける	22
つま　妻	10
つめたい　冷たい	12
つよい*　強い	21
つり　釣り	8
つれて いく　連れて 行く	22
つれて くる*　連れて 来る	22

て

て　手	10
Tシャツ	20
ていしょく　定食	5
デート	9
テーブル	8
テーマ	20
でかける　出かける	14
てがみ　手紙	4
できる	14
デザイン	16
〜です。	はじめましょう
〜ですか。	8
テスト	8
てつだい　手伝い	16
てつだう　手伝う	13
テニス	4
デパート	3
でも	11
てら　寺	6
でる（おふろから〜） 出る（お風呂から〜）	17
でる（せつめいかいに〜） 出る（説明会に〜）	19
テレビ	2
テレビばんぐみ　テレビ番組	9
—てん—　—点—	資料①
てんき　天気	9

でんげん　電源	17	
でんしゃ　電車	6	
でんしレンジ　電子レンジ	3	
テント	14	
てんぷら　天ぷら	11	
でんわ　電話	8	
でんわばんごう　電話番号	16	
でんわりょうきん　電話料金	14	

と

～と　～都	22
ドア	まとめ4
トイレ	3
どう	7
どう しますか。	13
どうして	9
どうしてですか。	9
どうぞ	15
どうぞ。	12
どうぞ よろしく おねがいします。(どうぞ よろしく。)　どうぞ よろしく お願いします。	1
どうぶつ　動物	8
どうぶつえん　動物園	6
どうも	15
どうも。	3
どうも ありがとう ございました。	8
どうやって	16
とうろくする　登録する	17
とお　10	10
とおい　遠い	8
とおか　10日	6
とおく　遠く	22
～とか	14
～とき、～	6
ときどき　時々	4

どくしん　独身	11
とけい　時計	3
どこ	3
ところ	7
とし　年	21
としょかん　図書館	4
としょしつ　図書室	3
どちら	11
どちらも	11
とても	7
とどく　届く	21
となり　隣	8
どの	18
どのぐらい	12
とまる　泊まる	12
とめる　止める	16
ともだち　友達	1
どようび　土曜日	5
ドライブ	6
ドラマ	9
とり　鳥	まとめ2
とりかえる　取り替える	22
とりにく　とり肉	2
とる（しゃしんを～）　撮る（写真を～）	12
とる（さかなを～）　捕る（魚を～）	まとめ2
とる（しおを～）　取る（塩を～）	15
どれ	7
とんカツ　豚カツ	11
どんな	7

な

ない	17
ナイフ	10

なおす	直す	22
なおる	治る	19
なか	中	8
なか	仲	16
ながい	長い	11
なく	泣く	17
なくす		21
なくなる		19
なつ	夏	11
なっとう	納豆	18
なつやすみ	夏休み	6
なな	七	はじめましょう 3
ななじゅう	七十	はじめましょう
ななつ	7つ	10
なに	何	4
なのか	7日	6
なべ		15
なまえ	名前	はじめましょう 1
ならう	習う	10
ならぶ	並ぶ	17
ならべる	並べる	15
なん	何	2
なん～	何～	3
なんかい	何回	18
なんがい	何階	3
なんかげつ	何か月	12
なんがつ*	何月	6
なんさい	何歳	5
なんじ	何時	5
なんじかん	何時間	12
なんしゅうかん*	何週間	12
なんだい*	何台	10
なんにち（きょうは～ですか）*		
	何日（今日は～ですか）	6
なんにち（～かかりますか）*		
	何日（～かかりますか）	12

なんにん	何人	8
なんねん（ことしは～ですか）*		
	何年（今年は～ですか）	11
なんねん（～べんきょうしましたか）		
	何年（～勉強しましたか）	12
なんぷん（なんじ～ですか）*		
	何分（何時～ですか）	5
なんぷん（～かかりますか）		
	何分（～かかりますか）	12
なんぼん*	何本	20
なんまい*	何枚	10
なんメートル（m）		
	何メートル	14
なんようび*	何曜日	5

に

に	二	はじめましょう 3
にぎやか［な］		7
にく	肉	2
にさんにち	2、3日	17
にしぐち	西口	8
にじゅう	二十	はじめましょう
にじゅうよっか	24日	6
一にち（きょうは～です）		
	一日（今日は～です）	6
一にち（～かかります）		
	一日（～かかります）	12
にちようび	日曜日	5
～について		19
にづくりする	荷造りする	18
にほんごがっこう	日本語学校	1
にほんごで なんですか。		
	日本語で 何ですか。	はじめましょう
にもつ	荷物	10
～に よろしく。		10
にる	煮る	15

一にん	一人	8
にんぎょう	人形	22
にんげん	人間	**まとめ2**
にんじゃ	忍者	14
一にんのり	一人乗り	21

ぬ

ぬく	抜く	17
ぬぐ*	脱ぐ	12

ね

ネクタイ		10
ねこ	猫	8
ネックレス		10
ねむい	眠い	9
ねる	寝る	5
一ねん（ことしは〜です） 一年（今年は〜です）		11
一ねん*（〜べんきょうしました） 一年（〜勉強しました）		12
一ねんせい	一年生	13
一ねんはん	一年半	**資料⑥**

の

ノート		2
のせる	載せる	14
のどが かわきました。 のどが 渇きました。		13
〜の なかで	〜の 中で	**まとめ2**
のぼる	登る	12
のみもの	飲み物	11
のむ（みずを〜）	飲む（水を〜）	4
のむ［くすりを〜］ 飲む［薬を〜］		19
のりかえる	乗り換える	16
のる	乗る	14

は

は	歯	14
〜は？		1
パーティー		5
バーベキュー		14
はい		1
バイオぎじゅつ	バイオ技術	20
ハイキング		13
バイク		6
はいる	入る	5
はい、わかります。 はい、分かります。		**はじめましょう**
はく	履く	15
はこ	箱	8
はこぶ	運ぶ	15
はさみ		20
はし		10
はし	橋	12
はじまる*	始まる	5
はじめて	初めて	10
はじめまして。	初めまして。	1
はじめましょう。 始めましょう。		**はじめましょう**
はじめる	始める	14
パジャマ		8
ばしょ	場所	16
バス		6
バスケットボール		14
バスてい	バス停	8
パソコン		2
はたらく	働く	5
はち	八	**はじめましょう** 3
はちじゅう	八十	**はじめましょう**
はつか	20日	6
はっぴょうする	発表する	12
はと		17

巻末 2. 索引

バドミントン		7
はな　花		7
はな　鼻		11
はなす　話す		10
バナナ		7
はなび　花火		6
はなみ　花見		12
はは　母		9
はやい　速い		11
はやく　早く		9
はらう　払う		14
はる　春		11
はれ　晴れ		19
ばん＊　晩		5
―ばん　―番		はじめましょう
パン		4
ハンカチ		22
ばんぐみ　番組		9
ばんごう　番号		16
ばんごはん＊　晩ご飯		4
パンダ		6
はんとし＊　半年		12
パンフレット		18
パンや　パン屋		4

ひ

ひ　火		20
ひ　日		22
ピアノ		8
ビール		3
ひがしぐち＊　東口		8
ひく　弾く		14
ひくい＊　低い		7
ひこうき　飛行機		6
ピザ		まとめ3
びじゅつかん　美術館		16

ひっこし　引っ越し		18
ひつよう［な］　必要［な］		19
ひと　人		2
ひとつ　1つ		10
ひとり　1人		8
ひとりで　一人で		6
ひま［な］　暇［な］		8
ひゃく／びゃく／ぴゃく		
百		はじめましょう 3
びょういん　病院		3
びょうき　病気		21
ひらがな＊　平仮名		9
ひる＊　昼		5
ビル		20
ひるごはん　昼ご飯		4
ひるやすみ　昼休み		12
ひろい　広い		7
ひろう　拾う		21

ふ

ファイル		17
プール		6
フェリー		12
ふえる　増える		19
フォーク		10
ふく		15
ふく　服		16
ふたつ　2つ		10
ぶたにく　豚肉		2
ふたり　2人		8
ふつう　普通		21
ふつか　2日		6
ふとる　太る		21
ふとん　布団		13
ふね　船		6
ふゆ　冬		11

ふゆやすみ* 冬休み	6	
フリーマーケット	**まとめ3**	
プリント	15	
ふる 降る	21	
ふるい 古い	7	
プレゼント	10	
ふろ 風呂	5	
ブログ	14	
プロジェクター	22	
―ふん／ぷん（いま―じ～です）		
―分（今―時～です）	5	
―ふん／ぷん（～かかります）		
―分（～かかります）	12	
ぶん 文	**まとめ4**	
―ぶんの ― 　―分の ―	**資料①**	
ぶんぽう 文法	5	

へ

―へいほうメートル（㎡）	
―平方メートル	11
へえ	8
―ページ	**はじめましょう**
へた［な］* 下手［な］	9
ベッド	8
ペット	14
へび 蛇	21
へや 部屋	7
へる* 減る	19
ベル	19
べんきょうする 勉強する	5
ペンギン	**まとめ2**
べんごし 弁護士	9
べんとう 弁当	4
べんり［な］ 便利［な］	7

ほ

ぼうし 帽子	20
ぼうねんかい 忘年会	19
ボウリング	14
ホームステイする	18
ボール	15
ボールペン	2
ほかの	15
ぼく 僕	**まとめ4**
ほしい 欲しい	13
ポスト	8
ほぞんする 保存する	17
ポット	3
ホテル	12
ほん 本	2
―ほん／ぽん／ぽん ―本	20
ぼんおどり 盆踊り	18
ほんとう 本当	16
ほんとうに 本当に	**まとめ3**
ほんやく 翻訳	16

ま

まあ。	20
―まい ―枚	10
まいあさ 毎朝	4
まいしゅう* 毎週	5
まいつき* 毎月	16
まいとし 毎年	16
まいにち* 毎日	4
まいばん* 毎晩	4
まえ 前	8
～まえに	14
―（ねん）まえに	
―（年）前に	13
まじめ［な］	11
また	10

177

まだ		17	ミュージシャン	9
また あした。		8	みる（えいがを～）	
まち　町		7	見る（映画を～）	4
まつ　待つ		14	みる（エアコンを～）	
まつり　祭り		6	見る（エアコンを～）	22
～まで		5	みんな	**まとめ4**
～までに		21		
まど　窓		9	**む**	
まとめる		20	むいか　6日	6
まよう　迷う		21	むかえる　迎える	13
まん　万		3	むかし　昔	19
まんが　漫画		9	むずかしい　難しい	7
マンション		11	むっつ　6つ	10
			むりを する　無理を する	17
み				
ミーティング		19	**め**	
みえる　見える		19	め　目	11
みがく　磨く		14	―メートル（m）	14
みかん		10	メール	5
みじかい　短い		11	メールアドレス	16
みず　水		2	めがね　眼鏡	20
みずうみ　湖		8	めざましどけい　目覚まし時計	14
みせ　店		8	めずらしい　珍しい	**まとめ2**
みせる　見せる		14	メロン	11
みち　道		21		
みっか　3日		6	**も**	
みつける　見つける		**まとめ3**	もう	16
みっつ　3つ		10	もう いちど　もう 一度	15
みて ください。			もう いちど いって ください。	
見て ください。		**はじめましょう**	もう 一度 言って ください。	
みなさま　皆様		22		**はじめましょう**
みなさん　皆さん		5	もう すこし　もう 少し	17
みなと　港		19	もうしこみ　申し込み	21
みなみぐち＊　南口		8	もうしこみしょ　申込書	21
みみ　耳		11	もくようび　木曜日	5
みやげ　土産		8	もしもし	5

もつ 持つ	13	
もって いく* 持って 行く	16	
もって くる 持って 来る	16	
モデル	9	
もの	7	
もらう	10	
もり 森	19	
もんだい* 問題	**まとめ2**	

や

〜や 〜屋	4
〜や 〜	8
やきにくていしょく 焼肉定食	2
やきゅう 野球	9
やく 焼く	16
やくそく 約束	9
やくに たつ 役に 立つ	16
やさい 野菜	4
やさしい 優しい	11
やすい 安い	7
やすみ 休み	12
やすみましょう。 休みましょう。	はじめましょう
やすむ 休む	5
やせる*	21
やっつ 8つ	10
やっと	18
やま 山	7
やまのぼり 山登り	9
やめる	21
やる（えさを〜）	17
やる（テニスを〜）	17

ゆ

ゆ 湯	17
ゆうびんきょく 郵便局	3
ゆうべ	20
ゆうめい［な］ 有名［な］	7
ゆかた 浴衣	14
ゆき 雪	21
ゆめ 夢	20

よ

よう 酔う	21
ようか 8日	6
ようじ 用事	19
よく（〜わかる） よく（〜分かる）	9
よく（〜かいものを する） よく（〜買い物を する）	20
よこ 横	8
よっか 4日	6
よっつ 4つ	10
よむ 読む	4
よる* 夜	5
よろしく おねがいします。 よろしく お願いします。	9
よわい 弱い	21
よん 四	はじめましょう 3
よんじゅう 四十	はじめましょう

ら

ラーメン	2
ライオン	**まとめ2**
らいげつ 来月	6
らいしゅう* 来週	5
らいねん* 来年	6
ラッシュアワー	19
ラブレター	21

り

りゅうがく 留学	19

りゅうがくせい　留学生	11		ロボット	13
りょう　　寮	1		ロボットこうがく	
りょうきん　料金	14		ロボット工学	13
りょうしん　両親	9		ろんぶん　論文	18

巻末 2. 索引（さくいん）

りょうり　料理	4
りょこう　旅行	9
りんご	**まとめ 1**

る	
ルール	9

れ	
れい　例	**はじめましょう 1**
れい　零	**はじめましょう 3**
れいぞうこ　冷蔵庫	3
れきし　歴史	11
レストラン	4
レポート	10
れんしゅうする　練習する	5
れんらくする　連絡する	18

ろ	
ろく　六	**はじめましょう 3**
ろくじゅう　六十	**はじめましょう**
ロッカー	8
ロック＊	4
ロビー	3

わ	
わあ	16
ワイン	3
わかりました。　分かりました。	8
わかりますか。　分かりますか。	**はじめましょう**
わかる　分かる	9
わかれる　別れる	18
わすれもの　忘れ物	18
わすれる　忘れる	21
わたし	1
わたしたち	12
わたす　渡す	22
わらう　笑う	17
わるい　悪い	21
われる　割れる	21

を	
～を おねがいします。　～を お願いします。	10
～を ください。	3

＊マーク
　その課で学習する語に関連する語

3. 学習項目一覧

課	文型	疑問詞・助数詞	助詞	副詞・接続詞・その他	普通体会話
1	N1は N2です。 N1は N2じゃ ありません。 Sか。 N1は N2ですか。 　―はい、N2です。／はい、そうです。 　―いいえ、N2じゃ ありません。 N1も N2です。 N1の N2		は も（同類） の（所属） か（疑問）		
2	これ／それ／あれ この／その／あの N N1は 何ですか。 　―N2です。 N1は 何の N2ですか。 Nは だれですか。 N1は N2（人）のです。 N1は だれの N2／だれのですか。 S1か、S2か。 　―S1／S2。	何（なん） だれ	の（属性・所有） の（準体助詞）		
3	ここ／そこ／あそこ N1は N2（場所）です。 Nは どこですか。 どこの N Nは いくらですか。	どこ いくら - - - - - 円 階、何階	の（産地・メーカー）	数字（0～万）	
4	Nを Vます。 Nを Vません。 何も Vません。 N（場所）で Vます。 S1。それから、S2。 N1と N2	何（なに）	を（動作の対象） 疑問詞＋も＋否定 で（動作の行われる場所） と（並立）	今晩・今日・あした・あさって 毎朝・毎晩・毎日 いつも・時々 - - - - - それから	
5	―時―分です。 {Vました。 {Vませんでした。 N（時点）に Vます。 N1（時点）から N2（時点）まで	時、何時 分、何分（時点） 何曜日 歳、何歳	に（時） から（開始時点） まで（終了時点） ごろ	今朝 昨日・おとといい 今週・先週・来週 毎週 曜日	

巻末 3. 学習項目一覧(がくしゅうこうもくいちらん)

6	N（場所）へ 行きます／来ます／帰ります。 〔年・月・日・時刻〕に／〔あした・来週・来年〕Vます。 いつ Vますか。／Nは いつですか。 N（乗り物）で Vます。 N（人）と Vます。 Vませんか。	いつ 月、何月 日、何日（時点）	へ で（交通手段） と（共同行為の相手） 疑問詞＋助詞＋も 否定	今年・去年・来年 今月・先月・来月 歩いて	
7	Nは いAです。 Nは なAです。 Nは いAくないです。 Nは なAじゃ ありません。 Nは どうですか。 いA N／なA N どんな N Nは どれですか。 S1。そして、S2。 S1が、S2。 Sね。（共感）	どう（状態を聞く） どんな どれ	が（逆接） ね（共感）	あまり＋否定・とても そして	
8	N1（場所）に N2が あります／います。 N1の〔上・下・前・後ろ・横・中・外・隣・間・近く〕 N1は N2（場所）に あります／います。 N（人）が 一人 います。 Vましょう。 N1や N2 Sよ。 Sね。（確認）	人、何人（なんにん）	に（存在場所） が（存在する主体） や よ ね（確認）	位置詞 たくさん	
9	N1（人）は N2が 好きです／上手です。 N1（人）は N2が 分かります。 S1から、S2。 どうして S1か。 ―S2から。 N1は N2が あります。	どうして	が（対象） から（理由）	少し・だいたい・よく（程度） 全然＋否定 家族呼称	
10	N1（人）に N2を 貸します／あげます／教えます。 N1（人）に N2を 借ります／もらいます／習います。 Nを 数量詞 V。 Nを いくつ Vか。 Nに します。	いくつ つ 枚、何枚 台、何台	に（動作の相手） に（動作の出どころ） で（道具・手段・言語） に（決定）		

182

11	N1は N2が Aです。 N1は N2より Aです。 N1と N2と どちらが Aですか。 　—N1／N2の ほうが Aです。 　—どちらも Aです。 N1で N2が いちばん Aです。 N1で 何／だれ／どこ／いつが いちばん Aですか。 　—N2が いちばん Aです。 いAくて／なAで／Nで、〜。	どちら ----- 年、何年(時点) m^2	が（述部の主語）	ずっと でも	
12	Nは いAかったです。 Nは なAでした。 N1は N2でした。 Nは いAくなかったです。 Nは なAじゃ ありませんでした。 N1は N2じゃ ありませんでした。 数量詞（期間）V。 どのぐらい Vか。	どのぐらい ----- 期間：分、何分・時間、何時間・日、何日・週間、何週間・か月、何か月・年、何年	から（場所の起点） まで（場所の終点） ぐらい	ちょっと	
13	Nが 欲しいです。 Vます形 たいです。 N1（場所）へ Vます形／N2に 行きます／来ます／帰ります。 Vましょうか。 Vます形 たいんですが、……。 Vます形 ＋方		に（目的） 何／だれ／どこ＋かが（前置き）		
14	動詞のグループ V辞書形 趣味は V辞書形 こと／Nです。 N1は V辞書形 こと／N2が できます。（能力・状況可能） V1辞書形 ／Nの まえに、V2。 N1とか、N2とか N／なAでは ありません。	m、何m	とか に（到達点）		Vる？ —うん、Vる。
15	Vて形 Vて形 ください。（指示・依頼・勧め） Vて形 くださいませんか。 Vて形 います。（進行）				Vて。

巻末
3. 学習項目一覧(がくしゅうこうもくいちらん)

16	Vて形 も いいです。 Vて形 は いけません。 Vて形 います。(結果の状態１:結婚する・知るなど;反復・習慣:働くなど) V１て、V２て、~。	どうやって		毎年・毎月	
17	Vない形 Vない形 ないで ください。 Vない形 なくても いいです。 V１て形 から、V２。 N１(場所)で N２(催しなど)が あります。			まだ(Vないでください) 全部	Vる？ —ううん、Vない。 Vないで。
18	Vた形 Vた形 ことが あります。 V１た形 り、V２た形 り します。 V１た形／Nの あとで、V２。	回、何回	何＋助数詞＋も 疑問詞＋でも を(離れる場所) と(動作の相手) に(対象)		疑問詞＋Vた？ —~Vた。
19	普通形 普通形と 思います。 普通形と 言いました。 普通体S１が／から、普通体S２。	どう(意見を聞く)	と(引用) について を(通過場所)	それに	全品詞の普通体会話
20	名詞修飾 { N１は 名詞修飾＋N２です。 　N１は 名詞修飾＋N２を Vます。 　名詞修飾＋Nは ~。 Vて形 います。(結果の状態２:着脱)	本、何本	が(名詞修飾節内の主語) に(頻度の基準) も(N１もN２も) だけ	よく(頻度)	
21	普通形過去 ら、S。(仮定条件) Vた形 ら、S。(確定条件) { 全品詞て 　全品詞なくて } も、S。		が(副詞節内の主語) が(現象の主語) までに に(「へ」の代用)		

| 22 | N1(人)に N2を くれます。
N(人)に Vて形 くれます。
N(人)に Vて形 もらいます。
N(人)に Vて形 あげます。
疑問詞が Sか。
　—Nが S。
Vて くれて、ありがとう。 | | が（疑問詞が主語のとき） | | |

巻末

3. 学習項目一覧

凡例

N　：名詞
V　：動詞
いA：い形容詞
なA：な形容詞
S　：文

4. インフォメーションギャップ

2

6-1. 📖❓ P.11

A：これは だれの <u>ノート</u>ですか。
B：<u>リンさんの</u> <u>ノート</u>です。

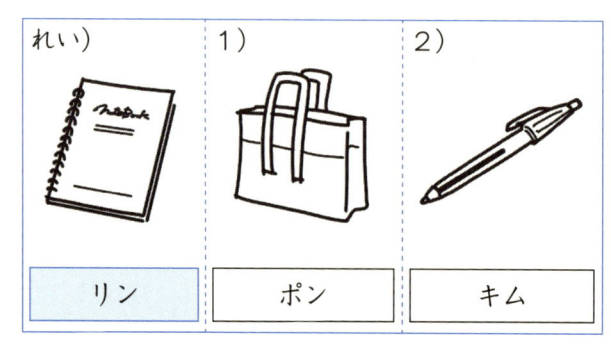

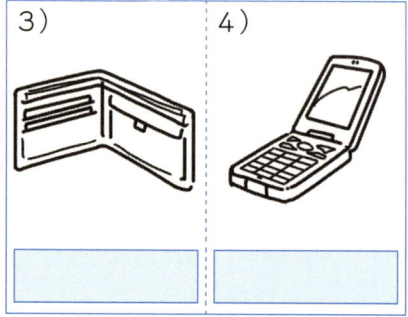

れい)	1)	2)	3)	4)
リン	ポン	キム		

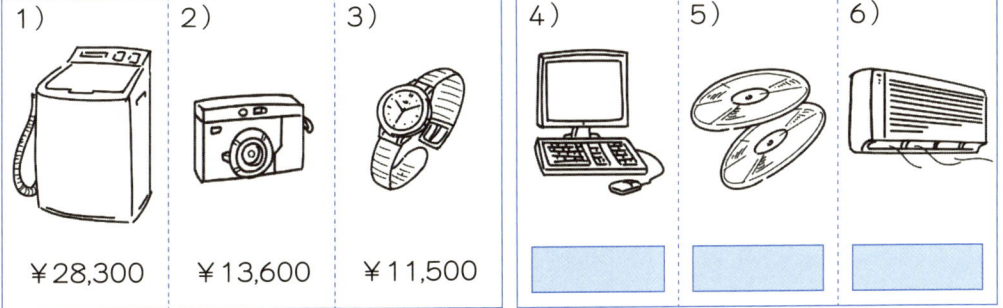

3

2-3. 📖❓ P.17

れい)
すみません。
<u>パソコン</u>は なんがいですか。

<u>2</u>かいです。

そうですか。どうも。

A

B

4	エアコン
3	れいぞうこ・でんしレンジ
2	パソコン・テレビ
1	カメラ・とけい

巻末
4. インフォメーションギャップ

3. 📖❓ P.17

この <u>テレビ</u>は いくらですか。

<u>25,000</u> えんです。

じゃ、これを ください。

A

B

れい)
¥25,000

1) ¥28,300
2) ¥13,600
3) ¥11,500
4)
5)
6)

187

つかいましょう P.18

A: その おちゃは どこのですか。
B: ちゅうごくのです。
A: いくらですか。
B: 190 えんです。

A1: じゃ、それを ください。
A2: そうですか……。

1) アメリカ
2) アメリカ
3) ちゅうごく
4) かんこく
れい) ちゅうごく ¥190
5)
6)
7)
8)

¥150　¥400　¥1,600　¥34,000

れい）おちゃ	ちゅうごく	190 えん
5) カメラ		えん
6) テレビ		えん
7) くつ		えん
8) ワイン		えん

巻末
4. インフォメーションギャップ

5

1-4. 📖 P.27

A：もしもし ロンドンは 今 何時ですか。
B：午後 11時です。

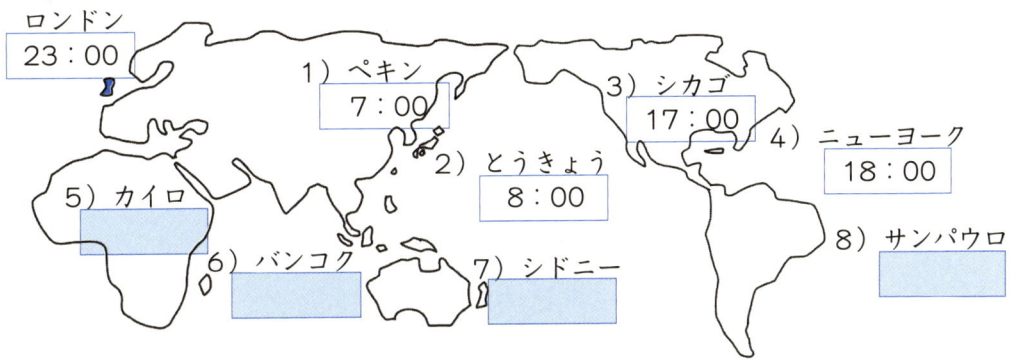

例）ロンドン 23:00
1）ペキン 7:00
2）とうきょう 8:00
3）シカゴ 17:00
4）ニューヨーク 18:00
5）カイロ
6）バンコク
7）シドニー
8）サンパウロ

巻末 4. インフォメーションギャップ

3-5. 📖 P.29

A：すみません。映画は 何時からですか。
B：11時からです。
A：何時に 終わりますか。
B：1時30分に 終わります。
A：そうですか。どうも。

ぶんかセンター
えいがかい
11:00〜13:30

例）映画	11:00 – 13:30		
1）コンサート	18:00 – 20:00	3）説明会	
2）テニス教室	15:15 – 17:00	4）料理教室	

189

使いましょう 2　P.31

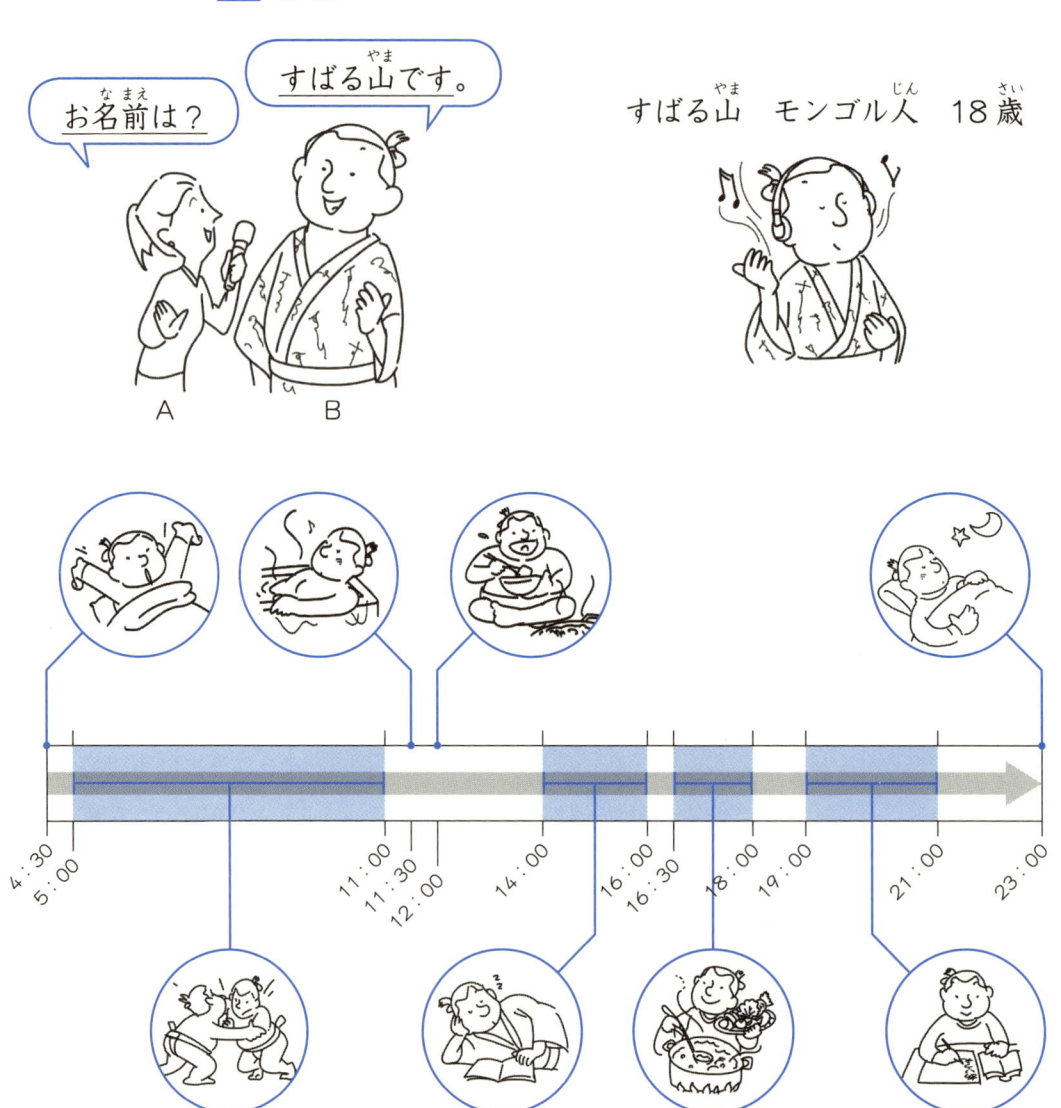

巻末
4. インフォメーションギャップ

お名前は？
すばる山です。

A　B

すばる山　モンゴル人　18歳

4:30
5:00
11:00
11:30
12:00
14:00
16:00
16:30
18:00
19:00
21:00
23:00

6

1-2. P.35

A: 月曜日 どこへ 行きましたか。
B: 郵便局へ 行きました。

月	例) 〒
火	1)
水	2)
木	3) ( )

月	例) 郵便局
金	4)
土	5)
日	6)

8

3-3. P.51

A: 電話は どこに ありますか。
B: 自動販売機の 横に あります。

例) 電話
6) マリーさん
7) 田中さん
8) 鈴木先生
9) かばん
10) 新聞

巻末
4. インフォメーションギャップ

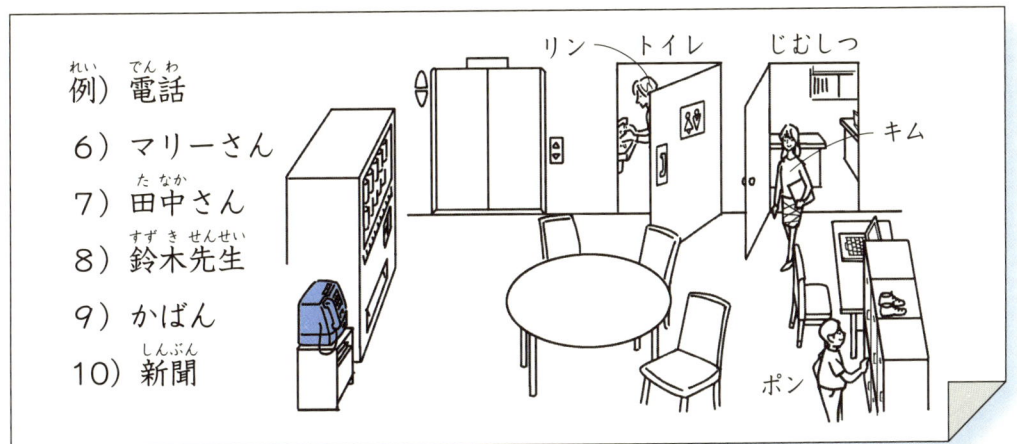

9

使いましょう 📖 P.58

巻末
4. インフォメーションギャップ

A：(B)さん、いい 人が いませんか。
B：じゃ、お見合いしませんか。
　　さゆりさんは どうですか。
A：そうですね。ご家族は？
B：お母さんと 弟さんが 1人 います。
A：さゆりさんは 何歳ですか。
B：25歳です。ピアノの 教師です。
A：そうですか。
B：さゆりさんは 旅行が 好きですよ。
　　どうですか。

例) さゆり 
母・弟 1人、
25歳、
ピアノの 教師、
旅行が 好き

A1：いいですね。よろしく お願いします。

A2：うーん、ちょっと……。

1) えり 
父・母・姉、
22歳、
モデル、
絵が 上手

2) ともみ
父・兄・妹、
30歳、
弁護士、
英語が 上手

3) あきら 
父・兄・
弟 2人、
23歳、
サッカー選手、
料理が 上手

4) ひろし 
父・母、
32歳
ミュージシャン、
ゴルフが 好き

14

4-1. P.90

A: どこで <u>電話料金を 払う</u> ことが できますか。
B: (コンビニや 郵便局) で できますよ。

例) 電話料金を 払います	コンビニ、郵便局
1) 生け花を 習います	文化センター
2) スキーを します	北海道、長野
3) お国の 料理を 食べます	(　　　　　　　　)
4) 温泉に 入ります	
5) 忍者に 会います	

16

3-2. P.105

4) モハメドさんは どこに 住んで いますか。
5) モハメドさんは 何を して いますか。
6) モハメドさんは 結婚して いますか。

ローラさん

巻末

4. インフォメーションギャップ

20

2-4. 📖 P.135

A: サンダルを 履いている 人は だれですか。

B: カエサルです。

例) カエサル
1) 紫式部（むらさきしきぶ）
2) ナポレオン
3) マリリン・モンロー

巻末 4. インフォメーションギャップ

2-5. 📖 P.135

A: お金を 入れる ものは 何ですか。

B: 財布です。

	クイズ 答え		クイズ 問題		
例) 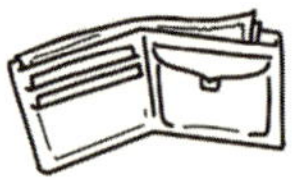 さいふ	1)	2)	3)  コート	4)  ふね	5) ( )

20

使(つか)いましょう 2　　P.136

_____の アンケート

1. _____か。
   ①毎日(まいにち)　②時々(ときどき)　③いいえ

2. _____か。
   ①____　②____　③その他(た)（　　）

---

1. ①毎日(まいにち)（　）人　②時々(ときどき)（　）人　③いいえ（　）人
2. ①____（　）人　②____（　）人　③その他(た)（　）人

> わたしたちは（　　　）について（　）人に アンケートを しました。……

巻末
4. インフォメーションギャップ

執筆者
山﨑佳子　元東京大学大学院工学系研究科
石井怜子
佐々木薫
高橋美和子
町田恵子　元公益財団法人アジア学生文化協会日本語コース

執筆協力者
白井香織
江上清子

本文イラスト
内山洋見

カバーイラスト
宮嶋ひろし

装丁・本文デザイン
山田武

日本語初級1 大地
メインテキスト

2008年10月 1 日　初版第 1 刷発行
2024年10月30日　第 15 刷 発 行

著　者　山﨑佳子　石井怜子　佐々木薫　高橋美和子　町田恵子
発行者　藤嵜政子
発　行　株式会社スリーエーネットワーク
　　　　〒102-0083　東京都千代田区麹町 3 丁目 4 番
　　　　　　　　　　トラスティ麹町ビル 2F
　　　　電話　営業　03（5275）2722
　　　　　　　編集　03（5275）2725
　　　　https://www.3anet.co.jp/
印　刷　倉敷印刷株式会社

ISBN978-4-88319-476-6　C0081
落丁・乱丁本はお取替えいたします。
本書の全部または一部を無断で複写複製（コピー）することは著作権法上での例外を除き、禁じられています。

日本語学校や大学で日本語を学ぶ外国人のための日本語総合教材

大地(だいち)

■初級1

日本語初級1大地　メインテキスト
山﨑佳子・石井怜子・佐々木薫・高橋美和子・町田恵子●著
B5判　195頁+別冊解答46頁　CD1枚付　3,080円(税込)〔978-4-88319-476-6〕

日本語初級1大地　文型説明と翻訳
〈英語版〉〈中国語版〉〈韓国語版〉〈ベトナム語版〉
山﨑佳子・石井怜子・佐々木薫・高橋美和子・町田恵子●著　B5判　162頁　2,200円(税込)
英語版〔978-4-88319-477-3〕　　中国語版〔978-4-88319-503-9〕
韓国語版〔978-4-88319-504-6〕　ベトナム語版〔978-4-88319-749-1〕

日本語初級1大地　基礎問題集
土井みつる●著　B5判　60頁+別冊解答12頁　990円(税込)〔978-4-88319-495-7〕

文法まとめリスニング 初級1―日本語初級1 大地準拠―
佐々木薫・西川悦子・大谷みどり●著
B5判　53頁+別冊解答42頁　CD2枚付　2,420円(税込)〔978-4-88319-754-5〕

ことばでおぼえる やさしい漢字ワーク 初級1―日本語初級1 大地準拠―
中村かおり・伊藤江美・梅津聖子・星野智子・森泉朋子●著
B5判　135頁+別冊解答7頁　1,320円(税込)〔978-4-88319-779-8〕

新装版　日本語初級1大地　教師用ガイド「教え方」と「文型説明」
山﨑佳子・佐々木薫・高橋美和子・町田恵子●著
B5判　183頁　2,530円(税込)〔978-4-88319-958-7〕

■初級2

日本語初級2大地　メインテキスト
山﨑佳子・石井怜子・佐々木薫・高橋美和子・町田恵子●著
B5判　187頁+別冊解答44頁　CD1枚付　3,080円(税込)〔978-4-88319-507-7〕

日本語初級2大地　文型説明と翻訳
〈英語版〉〈中国語版〉〈韓国語版〉〈ベトナム語版〉
山﨑佳子・石井怜子・佐々木薫・高橋美和子・町田恵子●著　B5判　156頁　2,200円(税込)
英語版〔978-4-88319-521-3〕　　中国語版〔978-4-88319-530-5〕
韓国語版〔978-4-88319-531-2〕　ベトナム語版〔978-4-88319-759-0〕

日本語初級2大地　基礎問題集
土井みつる●著　B5判　56頁+別冊解答11頁　990円(税込)〔978-4-88319-524-4〕

文法まとめリスニング 初級2―日本語初級2 大地準拠―
佐々木薫・西川悦子・大谷みどり●著
B5判　48頁+別冊解答50頁　CD2枚付　2,420円(税込)〔978-4-88319-773-6〕

ことばでおぼえる やさしい漢字ワーク 初級2―日本語初級2 大地準拠―
中村かおり・伊藤江美・梅津聖子・星野智子・森泉朋子●著
B5判　120頁+別冊解答7頁　1,320円(税込)〔978-4-88319-782-8〕

新装版　日本語初級2大地　教師用ガイド「教え方」と「文型説明」
山﨑佳子・佐々木薫・高橋美和子・町田恵子●著
B5判　160頁　2,530円(税込)〔978-4-88319-959-4〕

日本語学習教材の
スリーエーネットワーク

https://www.3anet.co.jp/
ウェブサイトで新刊や日本語セミナーを紹介しております
営業　TEL:03-5275-2722　　FAX:03-5275-2729

49
50
51
52
53
54
3000万円
55
500円
56
57
100
30
58
59
60
61
62
63
64
65
66
67
24h
68
69
70
100円
71
72
日 月 火 水 木 金 土
6
13 15
20 23
27

● チャートの 言葉(ことば)

動詞(どうし)

① 食(た)べる ② 飲(の)む ③ 買(か)う ④ 書(か)く ⑤ 聞(き)く ⑥ 見(み)る ⑦ 読(よ)む ⑧ する
⑨ 起(お)きる ⑩ 寝(ね)る ⑪ 勉強(べんきょう)する ⑫ 働(はたら)く ⑬ 休(やす)む ⑭ 泳(およ)ぐ ⑮ 作(つく)る
⑯ 入(はい)る ⑰ 会(あ)う ⑱ 行(い)く ⑲ 帰(かえ)る ⑳ 来(く)る ㉑ ある ㉒ いる ㉓ 開(あ)ける
㉔ 散歩(さんぽ)する ㉕ 送(おく)る ㉖ 教(おし)える ㉗ 貸(か)す ㉘ 借(か)りる ㉙ 話(はな)す ㉚ 着(き)る
㉛ 撮(と)る ㉜ 発表(はっぴょう)する ㉝ 遊(あそ)ぶ ㉞ 使(つか)う ㉟ 洗(あら)う ㊱ 返(かえ)す ㊲ 浴(あ)びる
㊳ 乗(の)る ㊴ 降(お)りる ㊵ 消(け)す ㊶ 死(し)ぬ ㊷ 待(ま)つ ㊸ 見(み)せる ㊹ 急(いそ)ぐ
㊺ 入(い)れる ㊻ 切(き)る ㊼ 運(はこ)ぶ ㊽ 持(も)って 来(く)る

い形容詞(けいようし)

㊾ 大(おお)きい ㊿ 小(ちい)さい ㊁ 新(あたら)しい ㊂ 古(ふる)い ㊃ 面白(おもしろ)い ㊄ 高(たか)い
㊅ 安(やす)い ㊆ 楽(たの)しい ㊇ いい ㊈ おいしい ㊉ 難(むずか)しい ㉠ 青(あお)い

な形容詞(けいようし)

㉑ 元気(げんき)[な] ㉒ 親切(しんせつ)[な] ㉓ 簡単(かんたん)[な] ㉔ きれい[な] ㉕ にぎやか[な]
㉖ 静(しず)か[な] ㉗ 便利(べんり)[な] ㉘ 有名(ゆうめい)[な]

名詞(めいし)

㉙ 学生(がくせい) ㉚ 100円(えん) ㉛ 雨(あめ) ㉜ 休(やす)み

日本語初級① 大地
だいち

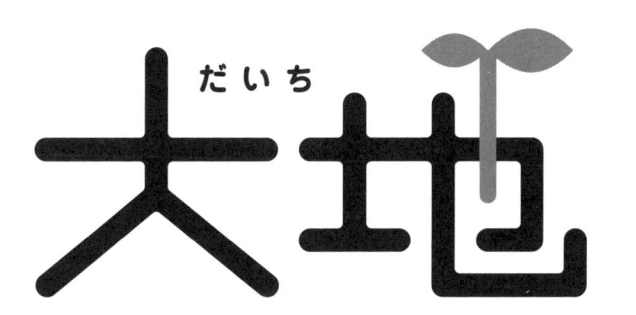

別冊解答

スリーエーネットワーク

1

1-1. 1) わたしは（マリー）です。
   2) わたしは（オーストラリアじん）です。
   3) わたしは（がくせい）です。

1-2. 1) アランさんはぎんこういんです。アランさんはフランスじんです。
   2) アンさんはエンジニアです。アンさんはベトナムじんです。
   3) マリーさんはがくせいです。マリーさんはオーストラリアじんです。
   4) ホセさんはかいしゃいんです。ホセさんはペルーじんです。

2. 1) A：ホセさんはかいしゃいんですか。
   B：はい、かいしゃいんです。／はい、そうです。
   A：ホセさんはペルーじんですか。
   B：はい、ペルーじんです。／はい、そうです。
   2) A：アンさんはエンジニアですか。
   B：はい、エンジニアです。／はい、そうです。
   A：アンさんはベトナムじんですか。
   B：はい、ベトナムじんです。／はい、そうです。
   3) A：アランさんはぎんこういんですか。
   B：はい、ぎんこういんです。／はい、そうです。
   A：アランさんはフランスじんですか。
   B：はい、フランスじんです。／はい、そうです。

3-1. 1) リンさんはフランスじんじゃありません。
   2) リンさんはエンジニアじゃありません。
   3) リンさんはベトナムじんじゃありません。
   4) リンさんはぎんこういんじゃありません。

3-2. 1) A：リンさんは（ちゅうごく）じんですか。　B：はい、ちゅうごくじんです。
   2) A：アランさんは（フランス）じんですか。
   B：はい、フランスじんです。

3） A：マリーさんは（タイ）じんですか。
　　B：いいえ、（タイ）じんじゃありません。オーストラリアじんです。
4） A：アンさんは（ちゅうごく）じんですか。
　　B：いいえ、（ちゅうごく）じんじゃありません。ベトナムじんです。

4-1. 1) キムさんはかんこくじんです。イさんもかんこくじんです。
2) すずきさんはせんせいです。さとうさんもせんせいです。
3) ホセさんはかいしゃいんです。のぐちさんもかいしゃいんです。

4-2. 1) B：アンさんもがくせいですか。
　　A：いいえ、わたしはエンジニアです。
2) B：ホセさんもがくせいですか。
　　A：いいえ、わたしはかいしゃいんです。
3) B：アランさんもがくせいですか。
　　A：いいえ、わたしはぎんこういんです。

5-1. 1) ナルコさんはみどりだいがくのけんきゅういんです。
2) アンさんはＩＴコンピューターのエンジニアです。
3) いわさきさんはスバルりょうのかんりにんです。

2

1. 1) これはざっしです。　2) それはかさです。　3) これはかばんです。
4) あれはテレビです。

2-1. 1) A：これはなんですか。　B：ボールペンです。
2) A：これはなんですか。　B：ざっしです。
3) A：それはなんですか。　B：しんぶんです。
4) A：それはなんですか。　B：ノートです。
5) A：あれはなんですか。　B：パソコンです。
6) A：あれはなんですか。　B：テレビです。

2-2. 1) A：それはしょうゆですか。　B：いいえ、これはしょうゆじゃありません。
　　　　　B：ソースです。
　　　2) A：それはうどんですか。　B：いいえ、これはうどんじゃありません。
　　　　　B：そばです。
　　　3) A：それはみずですか。　B：いいえ、これはみずじゃありません。
　　　　　B：ジュースです。
　　　4) A：それはこうちゃですか。　B：いいえ、これはこうちゃじゃありません。
　　　　　B：コーヒーです。

3. 1) カメラのカタログです。　2) けいたいでんわのカタログです。
　　　3) くるまのカタログです。

4. 1) このくるまはドイツせいです。　2) そのくるまはイタリアせいです。
　　　3) そのくるまはアメリカせいです。　4) あのくるまはイギリスせいです。
　　　5) あのくるまはかんこくせいです。

5. 1) アランさんです。　2) マリーさんです。　3) アンさんです。
　　　4) わたなべさんです。

6-1. 1) これはだれのかばんですか。——ポンさんのかばんです。
　　　2) これはだれのボールペンですか。——キムさんのボールペンです。
　　　3) これはだれのさいふですか。——マリーさんのさいふです。
　　　4) これはだれのけいたいでんわですか。——トムさんのけいたいでんわです。

6-2. 1) いいえ、これはポンさんのです。
　　　2) いいえ、これはトムさんのです。
　　　3) いいえ、これはわたなべさんのです。
　　　4) いいえ、これはすずきせんせいのです。

7. 1) A：これは「ン」ですか、「ソ」ですか。　B：(ン) です。
　　　2) A：これは「シャープペンシル」ですか、「ボールペン」ですか。　B：(ボールペン) です。
　　　3) A：これは「とりにく」ですか、「ぶたにく」ですか。　B：(とりにく) です。

4) A:これは「め」ですか、「ぬ」ですか。　B:(め)です。

つかいましょう

　　　1) B:おやこどんです。　A:おやこどん？　B:(とりにく)です。
　　　2) B:すきやきです。　A:すきやき？　B:(ぎゅうにく)です。
　　　3) B:ラーメンです。　A:ラーメン？　B:(ぶたにく)です。
　　　4) B:やきにくていしょくです。　A:やきにくていしょく？　B:(ぎゅうにく)です。

3

1-1.　1) ここはじむしつです。　2) ここはかいぎしつです。
　　　3) ここはコンピューターしつです。　4) ここはトイレです。
　　　5) ここはとしょしつです。　6) ここはきょうしつです。
　　　7) ここはしょくどうです。　8) ここはロビーです。

2-1.　1) びょういんはどこですか。　2) たいしかんはどこですか。
　　　3) ぎんこうはどこですか。　4) コンビニはどこですか。
　　　5) デパートはどこですか。　6) えきはどこですか。

2-2.　1) A:ちずはどこですか。　B:あそこです。
　　　2) A:しんぶんはどこですか。　B:そこです。
　　　3) A:CDはどこですか。　B:あそこです。
　　　4) A:ざっしはどこですか。　B:そこです。
　　　5) A:コピーきはどこですか。　B:ここです。
　　　6) A:マリーさんはどこですか。　B:あそこです。

2-3.　1) A:カメラはなんがいですか。　B:1かいです。
　　　2) A:れいぞうこはなんがいですか。　B:3がいです。
　　　3) A:エアコンはなんがいですか。　B:4かいです。
　　　4) A:とけいはなんがいですか。　B:1かいです。

5）A：でんしレンジはなんがいですか。　B：3がいです。

3. 1）このせんたくきはいくらですか。――28,300えんです。

2）このカメラはいくらですか。――13,600えんです。

3）このとけいはいくらですか。――11,500えんです。

4）このパソコンはいくらですか。――197,800えんです。

5）このＣＤはいくらですか。――1,100えんです。

6）このエアコンはいくらですか。――63,000えんです。

4. 1）A：これはどこのおちゃですか。　B：ちゅうごくのおちゃです。

2）A：これはどこのワインですか。　B：フランスのワインです。

3）A：これはどこのビールですか。　B：サントリーのビールです。

4）A：これはどこのチョコレートですか。　B：ロッテのチョコレートです。

つかいましょう

1）そのとけいはどこのですか。――アメリカのです。150えんです。

2）そのパソコンはどこのですか。――アップル／アメリカのです。34,000えんです。

3）そのそうじきはどこのですか。――ちゅうごくのです。1,600えんです。

4）そのポットはどこのですか。――かんこくのです。400えんです。

5）そのカメラはどこのですか。――キヤノン／にほんのです。150えんです。

6）そのテレビはどこのですか。――ちゅうごくのです。2,700えんです。

7）そのくつはどこのですか。――ナイキ／アメリカのです。1,700えんです。

8）そのワインはどこのですか。――アメリカのです。240えんです。

4

1-1. ❶食（た）べます　❷飲（の）みます　❸買（か）います　❹書（か）きます　❺聞（き）きます　❻見（み）ます　❼読（よ）みます　❽します

1-2. 1）ラーメン／果物（くだもの）／野菜（やさい）／カレーを食（た）べます。

2) ビール／牛乳／ワイン／ジュース／水を飲みます。
3) 映画／テレビを見ます。　4) 音楽を聞きます。
5) 本／新聞／雑誌を読みます。　6) 名前を書きます。
7) カメラ／パソコン／パン／本／新聞／雑誌／ビール／牛乳／ワイン／ジュース／水／テレビ／果物／野菜を買います。

1-4. 1) B：本を読みます。それから、音楽を聞きます。
2) B：宿題をします。それから、ジョギングをします。
3) B：サッカーを見ます。それから、ゲームをします。

2-1. ❶食べません　❷飲みません　❸買いません　❹書きません　❺聞きません　❻見ません　❼読みません　❽しません

2-2. 1) A：(B)さんはお酒を飲みますか。　B1：はい、飲みます。　B2：いいえ、飲みません。
2) A：(B)さんは手紙を書きますか。　B1：はい、書きます。　B2：いいえ、書きません。
3) A：(B)さんは映画を見ますか。　B1：はい、見ます。　B2：いいえ、見ません。
4) A：(B)さんはクラシックを聞きますか。　B1：はい、聞きます。　B2：いいえ、聞きません。
5) A：(B)さんはサッカーをしますか。　B1：はい、します。　B2：いいえ、しません。

3. 1) わたしは何も読みません。　2) わたしは何も見ません。
3) わたしは何も聞きません。　4) わたしは何も飲みません。

4-1. 1) 図書館で本を読みます。　2) 郵便局で切手を買います。
3) 公園でテニスをします。　4) うちで宿題をします。
5)（コンビニで牛乳を買います。）

4-2. 1) A：いつもどこでパンを買いますか。　B：(スーパー／コンビニ／パン屋)で買います。　A：わたしは(スーパー／コンビニ／パン屋)で買います。

2) A：いつもどこで宿題をしますか。　B：(うち／寮／図書館) でします。
　 A：わたしは (うち／寮／図書館) でします。

3) A：いつもどこでお金を下ろしますか。　B：(銀行／コンビニ／郵便局) で下ろします。　A：わたしは (銀行／コンビニ／郵便局) で下ろします。

5

1-1. いちじ、にじ、さんじ、よじ、ごじ、ろくじ、しちじ、はちじ、くじ、じゅうじ、じゅういちじ、じゅうにじ

1-2. いっぷん、にふん、さんぷん、よんぷん、ごふん、ろっぷん、ななふん、はっぷん、きゅうふん、じゅっぷん

1-3. 1) 5時15分です。　2) 8時20分です。　3) 4時45分です。
　　　4) 9時30分／半です。

1-4. 1) もしもしペキンは今何時ですか。午前7時です。
　　　2) もしもし東京は今何時ですか。午前8時です。
　　　3) もしもしシカゴは今何時ですか。午後5時です。
　　　4) もしもしニューヨークは今何時ですか。午後6時です。
　　　5) もしもしカイロは今何時ですか。午前1時です。
　　　6) もしもしバンコクは今何時ですか。午前6時です。
　　　7) もしもしシドニーは今何時ですか。午前9時です。
　　　8) もしもしサンパウロは今何時ですか。午後9時です。

2. 1) リンさんは11時30分／半に寝ます。
　　　2) 木村さんは5時に起きます。
　　　3) 木村さんは9時に寝ます。
　　　4) わたしは (7時) に起きます。
　　　5) わたしは (12時) に寝ます。

3-1. 1) ナルコさんは9時30分／半から7時まで研究します。

2）アランさんは9時から5時まで働きます。

3）リンさんは4時から5時まで泳ぎます。

3-2. 1）（B）さん、毎晩何時から何時まで勉強しますか。

2）（B）さん、何時から何時までインターネットをしますか。

3）（B）さん、何時から何時までテレビを見ますか。

4）（B）さん、何時に寝ますか。

3-3. 1）郵便局は9時から5時までです。

2）デパートは10時から8時までです。

3）大使館は9時30分／半から4時までです。

3-5. 1）A：コンサートは何時からですか。　B：6時からです。　B：8時に終わります。

2）A：テニス教室は何時からですか。　B：3時15分からです。　B：5時に終わります。

3）A：説明会は何時からですか。　B：10時30分／半からです。　B：12時に終わります。

4）A：料理教室は何時からですか。　B：2時からです。　B：4時に終わります。

4-1. ❶食べました　❷飲みました　❸買いました　❹書きました　❺聞きました　❻見ました　❼読みました　❽しました　❾起きました　❿寝ました　⓫勉強しました　⓬働きました　⓭休みました　⓮泳ぎました　⓯作りました　⓰入りました

4-2. 1）わたしは先週の月曜日メールをしました。

2）わたしは先週の火曜日泳ぎました。

3）わたしは先週の水曜日テニスをしました。

4）わたしは先週の木曜日パーティーをしました。

5）わたしは先週の金曜日カメラを買いました。

6）わたしは先週の土曜日タイ語を勉強しました。

5-1. ①食べませんでした ②飲みませんでした ③買いませんでした
④書きませんでした ⑤聞きませんでした ⑥見ませんでした
⑦読みませんでした ⑧しませんでした ⑨起きませんでした
⑩寝ませんでした ⑪勉強しませんでした ⑫働きませんでした
⑬休みませんでした ⑭泳ぎませんでした ⑮作りませんでした
⑯入りませんでした

5-2. 1）A：(B)さん、昨日文法の本を読みましたか。 B１：はい、読みました。
B２：いいえ、読みませんでした。
2）A：(B)さん、昨日日本語のCDを聞きましたか。 B１：はい、聞きました。
B２：いいえ、聞きませんでした。
3）A：(B)さん、昨日会話を練習しましたか。 B１：はい、しました。
B２：いいえ、しませんでした。

使いましょう 2

①お国はどちらですか。――モンゴルです。 ②何歳ですか。――18歳です。 ③趣味は何ですか。――音楽です。 ④何時に起きますか。――4時30分／半に起きます。 ⑤何時から何時まで練習しますか。――5時から11時まで練習します。 ⑥何時にお風呂に入りますか。――11時30分／半にお風呂に入ります。 ⑦何時に朝ご飯を食べますか。――12時に朝ご飯を食べます。 ⑧何時から何時まで休みますか。――2時から4時まで休みます。 ⑨何時から何時まで晩ご飯を作りますか。――4時30分／半から6時まで晩ご飯を作ります。 ⑩何時から何時まで日本語を勉強しますか。――7時から9時まで日本語を勉強します。 ⑪何時に寝ますか。――11時に寝ます。

すばる山さんはモンゴル人のお相撲さんです。すばる山さんは18歳です。趣味は音楽です。すばる山さんは4時30分／半に起きます。5時から11時まで練習します。12時に朝ご飯を食べます。2時から4時まで休みます。4時30分／半から6時まで晩ご飯を作ります。7時から9時まで日本語を勉強します。11時に寝ます。

6

1-1. 1）北海道へ行きます。　2）うちへ帰ります。　3）国へ帰ります。

1-2. 1）A：火曜日どこへ行きましたか。　B：銀行へ行きました。
2）A：水曜日どこへ行きましたか。　B：どこへも行きませんでした。
3）A：木曜日どこへ行きましたか。　B：(公園)へ行きました。
4）A：金曜日どこへ行きましたか。　B：大使館へ行きました。
5）A：土曜日どこへ行きましたか。　B：どこへも行きませんでした。
6）A：日曜日どこへ行きましたか。　B：(北海道)へ行きました。

2-2. 1）アンさんは1月6日に日本へ来ました。
2）キムさんは3月21日に日本へ来ました。
3）ポンさんは4月14日に日本へ来ました。
4）アランさんは9月10日に日本へ来ました。

2-3. 1）あさって行きます。　2）来週行きます。　3）来月行きます。
4）午後3時に行きます。

3-1. 1）マリーさんは電車で北海道へ行きます。
2）アランさんは車で北海道へ行きます。
3）キムさんはバスで北海道へ行きます。
4）ポンさんは自転車で北海道へ行きます。
5）リンさんは歩いて北海道へ行きます。

4-1. 1）A：だれと昼ご飯を食べましたか。　B：友達と食べました。
2）A：だれと日本へ来ましたか。　B：一人で来ました。
3）A：だれと映画を見ましたか。　B：マリーさんと見ました。
4）A：だれと寮へ帰りましたか。　B：一人で帰りました。

5. 1）A：一緒にテニスをしませんか。　2）A：一緒にプールへ行きませんか。
3）A：一緒にケーキを作りませんか。　4）A：一緒に食事しませんか。

使いましょう

1) B：友達と札幌へ行きます。 B：(電車で) 行きます。 B：(ドライブをします)。 A：わたしは (別府へ行きます)。
2) B：友達と仙台へ行きます。 B：(バイクで) 行きます。 B：(お祭りを見ます)。 A：わたしは (どこへも行きません)。
3) B：友達と横浜へ行きます。 B：(歩いて) 行きます。 B：(花火を見ます)。 A：わたしは (毎日映画を見ます)。
4) B：友達と京都へ行きます。 B：(バスで) 行きます。 B：(お寺を見ます)。 A：わたしは (アルバイトをします)。
5) B：友達と広島へ行きます。 B：(新幹線で) 行きます。 B：(原爆ドームを見ます)。 A：わたしは (アメリカへ行きます)。
6) B：友達と別府へ行きます。 B：(船で) 行きます。 B：(温泉に入ります)。 A：わたしは (日本語を勉強します)。
7) B：友達と沖縄へ行きます。 B：(飛行機で) 行きます。 B：(泳ぎます)。 A：わたしは (国へ帰ります)。

まとめ１

1. 1) パンとりんごを食べます。コーヒーを飲みます。
2) バスで学校へ行きます。　3) 9時から12時まで勉強します。
4) 午後友達とテニスをします。　5) スーパーで牛乳を買います。
6) うちでテレビを見ます。　7) 10時30分／半に寝ます。

2. 1) 何ですか。　2) だれですか。
3) 何時ですか。　4) いつですか。／何月何日ですか。
5) いくらですか。　6) どこですか。

3. 1) たべません　2) たべました　3) たべませんでした　4) のみます
5) のみました　6) のみませんでした　7) かいます　8) かいません
9) かいませんでした　10) きます　11) きません　12) きました

4. 1) きょう　2) あした　3) せんしゅう　4) こんしゅう　5) らいげつ
6) きょねん　7) ことし

7

1-1. (49)大きいです　(50)小さいです　(51)新しいです　(52)古いです　(53)面白いです
(54)高いです　(55)安いです　(56)楽しいです　(57)いいです　(58)おいしいです
(59)難しいです　(60)青いです　(61)元気です　(62)親切です　(63)簡単です
(64)きれいです　(65)にぎやかです　(66)静かです　(67)便利です　(68)有名です

1-2. 1）この靴は大きいです。　2）このかばんは古いです。
3）この花はきれいです。　4）この自転車は新しいです。

1-3. 1）東京はにぎやかです／面白いです／有名です。　2）地下鉄は便利です。
3）先生は親切です／面白いです／きれいです。
4）日本の車は小さいです／便利です／高いです。
5）漢字は大変です／面白いです／簡単です。
6）（パソコン）は便利です／簡単です／難しいです。

2-1. (49)大きくないです　(50)小さくないです　(51)新しくないです　(52)古くないです
(53)面白くないです　(54)高くないです　(55)安くないです　(56)楽しくないです
(57)よくないです　(58)おいしくないです　(59)難しくないです　(60)青くないです
(61)元気じゃありません　(62)親切じゃありません　(63)簡単じゃありません
(64)きれいじゃありません　(65)にぎやかじゃありません　(66)静かじゃありません
(67)便利じゃありません　(68)有名じゃありません

2-2. 1）勉強は（難しいです）か。（いいえ、難しくないです。）
2）学校は（楽しいです）か。（はい、とても楽しいです。）
3）友達は（親切です）か。（はい、親切です。）
4）（日本のテレビは面白いです）か。（いいえ、あまり面白くないです。）

2-3. 1）A：（B）さん、日本のアニメはどうですか。
B１：（面白いです）。そして、（きれいです）。
B２：（面白いです）が、（難しいです）。
2）A：（B）さん、日本の食べ物はどうですか。

Ｂ１：(おいしいです)。そして、(安いです)。
　　　Ｂ２：(おいしいです)が、(あまり安くないです)。
　３）Ａ：(Ｂ)さん、日本の生活はどうですか。
　　　Ｂ１：(楽しいです)。そして、(便利です)。
　　　Ｂ２：(楽しいです)が、(大変です)。
　４）Ａ：(Ｂ)さん、(日本の地下鉄)はどうですか。
　　　Ｂ１：(便利です)。そして(きれいです)。
　　　Ｂ２：(便利です)が、(高いです)。

3-1. １）桜は(きれいな)花です。　２）バナナは(おいしい)果物です。
　３）マリーさんのパソコンは(いい)パソコンです。
　４）京都は(有名な)町です。　５）わたしの国は(大きい)国です。

3-2. １）Ａ：昨日自転車を買いました。　Ｂ：どんな自転車ですか。　Ａ：(青い)自転車です。
　２）Ａ：昨日掃除機を買いました。　Ｂ：どんな掃除機ですか。　Ａ：(静かな)掃除機です。
　３）Ａ：昨日ゲームソフトを買いました。　Ｂ：どんなゲームソフトですか。　Ａ：(新しい)ゲームソフトです。
　４）Ａ：昨日(車)を買いました。　Ｂ：どんな(車)ですか。　Ａ：(小さい)(車)です。

3-3. １）(黒い)かばんを買いました。　２）(静かな)公園へ行きました。
　３）(難しい)本を読みました。　４）(面白い)テレビを見ました。

4. １）Ａ：(Ｂ)さんの靴はどれですか。　Ｂ：その黒い／白い／大きい靴です。
　２）Ａ：(Ｂ)さんの傘はどれですか。　Ｂ：その青い／黒い／白い傘です。
　３）Ａ：(Ｂ)さんのコートはどれですか。　Ｂ：その白い／古い／黒いコートです。

8

1-1. 1) あそこに銀行があります。　2) あそこに郵便局があります。
3) あそこに男の子がいます。　4) あそこに木があります。
5) あそこに自動販売機があります。　6) あそこに猫がいます。
7) あそこに女の子がいます。　8) あそこに男の人がいます。

2-1. 1) 車の中に女の人がいます。　2) 車の上に箱があります。
3) 車の後ろにバイクがあります。　4) 車の下に猫がいます。
5) 車の前に男の子がいます。

2-2. 1) A：机の下にだれがいますか。　B：男の子がいます。
2) A：冷蔵庫の中に何がありますか。　B：パジャマがあります。
3) A：ピアノの後ろに何がいますか。　B：猫がいます。
4) A：箱の中に何がありますか。　B：何もありません。
5) A：ベッドの上に何がいますか。　B：犬がいます。
6) A：ベッドの下に何がありますか。　B：テストがあります。

3-1. 1) 図書館は公園の前／コンビニの隣にあります。
2) 本屋はパン屋の隣にあります。
3) コンビニは銀行と図書館の間／公園の前にあります。
4) バス停は公園の前にあります。
5) パン屋は本屋と花屋の間にあります。
6) ポストはコンビニの前にあります。
7) トイレは公園の中にあります。

3-3. 1) リンさんはどこにいますか。——トイレの中にいます。
2) ポンさんはどこにいますか。——ロッカーの前にいます。
3) キムさんはどこにいますか。——事務室の前にいます。
4) 靴はどこにありますか。——ロッカーの上にあります。
5) パソコンはどこにありますか。——机の上にあります。
6) マリーさんはどこにいますか。——エレベーターの前にいます。

7）田中さんはどこにいますか。——事務室の中にいます。
8）鈴木先生はどこにいますか。——自動販売機の前にいます。
9）かばんはどこにありますか。——いすの下にあります。
10）新聞はどこにありますか。——テーブルの上にあります。

4-1. 1）公園に男の子が3人います。 2）公園に女の子が1人います。
3）公園に男の人が4人います。

4-2. 1）A：韓国の学生は何人いますか。 B：44人います。
2）A：タイの学生は何人いますか。 B：31人います。
3）A：オーストラリアの学生は何人いますか。 B：8人います。
4）A：カナダの学生は何人いますか。 B：5人います。

5. 1）一緒に飲みましょう。 2）一緒に食べましょう。 3）一緒に踊りましょう。
4）一緒に帰りましょう。

9

1-1. 1）わたしはすしが好きです。 2）わたしは音楽が好きです。
3）わたしは野球が好きです。 4）わたしは映画が好きです。
5）わたしは（サッカー）が好きです。

1-2. 1）A：野菜が好きですか。 B：（はい、好きです。）
2）A：漫画が好きですか。 B：（いいえ、あまり好きじゃありません。）
3）A：猫が好きですか。 B：（いいえ、嫌いです。）
4）A：掃除が好きですか。 B：（はい、好きです。）
5）A：（料理）が好きですか。 B：（いいえ、あまり好きじゃありません。）

1-3. 1）A：（B）さんはどんな映画が好きですか。 B：（韓国の）映画が好きです。
B：じゃ、今度一緒に（見）ませんか。 A2：わたしは（アニメ）が好きです。
2）A：（B）さんはどんな音楽が好きですか。 B：（クラシック）が好きです。

B：じゃ、今度一緒に（聞き）ませんか。　A2：わたしは（ロック）が好きです。

3) A：（B）さんはどんな歌が好きですか。　B：（英語の）歌が好きです。　B：じゃ、今度一緒に（歌い）ませんか。　A2：わたしは（国の歌）が好きです。

1-4. 1) A：（B）さんの（お兄さん）は絵が上手ですか。　A1：どんな絵をかきますか。　B1：（花の絵）をかきます。

2) A：（B）さんの（妹さん）は歌が上手ですか。　A1：どんな歌を歌いますか。　B1：（日本の歌）を歌います。

3) A：（B）さんの（弟さん）はゲームが上手ですか。　A1：どんなゲームをしますか。　B1：（日本のゲーム）をします。

4) A：（B）さんの（お姉さん）は（スポーツ）が上手ですか。　A1：どんな（スポーツ）をしますか。　B1：（サッカー）をします。

2-1. わたしはスペイン語／フランス語／中国語／タイ語／韓国語／英語／ベトナム語が分かります。

2-2. 1) A：（B）さんは駅のアナウンスが分かりますか。　B：はい、少し分かります。
2) A：（B）さんは先生の説明が分かりますか。　B：はい、よく分かります。
3) A：（B）さんは野球のルールが分かりますか。　B：いいえ、全然分かりません。

3-1. 1) 暑いですから、窓を開けます。
2) たくさん買い物をしましたから、お金がありません。
3) いい天気ですから、散歩します。

3-2. 1) 国で勉強しましたから、漢字が少し分かります。
2) 日本語が上手ですから、説明会で通訳をします。
3) 注射が嫌いですから、病院へ行きません。
4) 時間がありませんから、デートをしません。／テニスをしません。
5) 日本のアニメが好きですから、日本へ来ました。

4-1. 1) A：どうして漫画を読みますか。　B：（面白いです）から。

2）A：どうして眠いですか。 B：(昨日寝ませんでした)から。

3）A：どうしてあの人が好きですか。 B：(親切です)から。

4）A：どうして昼ご飯を食べませんか。 B：(時間がありません)から。

4-2. 1）A：釣りが好きですか。 B：ええ、好きですが、あまり（し）ません。
B：(時間がありません)から。

2）A：日本のドラマ／テレビが好きですか。 B：ええ、好きですが、あまり（見）ません。 B：(ドラマの日本語は難しいです)から。

3）A：本が好きですか。 B：ええ、好きですが、あまり（読み）ません。
B：(宿題がたくさんあります)から。

使いましょう

1）B：えりさんはどうですか。 B：ご両親とお姉さんが1人います。 A：えりさんは何歳ですか。 B：22歳です。モデルです。 B：えりさんは絵が上手ですよ。

2）B：ともみさんはどうですか。 B：お父さんとお兄さんと妹さんがいます。 A：ともみさんは何歳ですか。 B：30歳です。弁護士です。 B：ともみさんは英語が上手ですよ。

3）B：あきらさんはどうですか。 B：お父さんとお兄さんと弟さんが2人います。 A：あきらさんは何歳ですか。 B：23歳です。サッカー選手です。 B：あきらさんは料理が上手ですよ。

4）B：ひろしさんはどうですか。 B：お父さんとお母さんがいます。 A：ひろしさんは何歳ですか。 B：32歳です。ミュージシャンです。 B：ひろしさんはゴルフが好きですよ。

10

1-1. 1）わたしは友達に（カード）をあげます。

2）わたしは先輩に（自転車）を貸します。

3）わたしは渡辺さんに（中国語）を教えます。

1-2. 1) わたしは母に花をあげました。
2) わたしは男の子にサッカーを教えました。
3) わたしはマリーさんに漫画を貸しました／あげました。
4) わたしは先生に電話をかけました。
5) わたしは妹に絵はがきを書きました／送りました。

2-1. 1) わたしは木村さんに日本の歌を習いました。
2) わたしは母に手紙をもらいました。
3) わたしは父に時計を借りました／もらいました。
4) わたしは友達にボールペンを借りました／もらいました。
5) わたしは先輩に自転車を借りました／もらいました。

2-2. 1) A：(B)さん、いいネックレスですね。　B：ええ、夫にもらいました。　A：いいご主人ですね。
2) A：(B)さん、いい時計ですね。　B：ええ、姉にもらいました。　A：いいお姉さんですね。
3) A：(B)さん、いいネクタイですね。　B：ええ、妻にもらいました。　A：いい奥さんですね。
4) A：(B)さん、いい（机）ですね。　B：ええ、（父）にもらいました。　A：いい（お父さん）ですね。

3-1. 1) みかんを5つ（買いました／食べました）。
2) ケーキを2つ（食べました／作りました）。
3) 車を3台（もらいました／借りました／買いました）。
4) 絵はがきを2枚（送りました）。
5) シャツを1枚（買いました）。

3-2. 1) B：わたしはカレーをお願いします。　C：わたしはカレーとコーヒーにします。　A：カレーを2つとコーヒーを1つですね。
2) B：わたしはサンドイッチと紅茶をお願いします。　C：わたしは紅茶にします。　A：サンドイッチを1つと紅茶を2つですね。
3) B：わたしはスパゲティをお願いします。　C：わたしはスパゲティとジュー

スにします。　A：スパゲティを2つとジュースを1つですね。

4-1. 1) A：何でラーメンを食べますか。　B：(はし)で食べます。
2) A：何でステーキを食べますか。　B：(ナイフとフォーク)で食べます。
3) A：何でケーキを食べますか。　B：(フォーク)で食べます。
4) A：何でサンドイッチを食べますか。　B：(手)で食べます。

4-2. 1) インターネットで本を買います。　2) 日本語で話します。
3) 航空便で荷物を送ります。　4) 書留でお金を送ります。

使いましょう
1) チョコレート　2) CD　3) ネクタイ

11

1-1. 1) この犬は目が小さいです。　2) この犬は首が長いです。
3) この犬は足が短いです。　4) この犬は耳が大きいです。

1-2. 1) みどり大学は寮がきれいです。　2) みどり大学は経済学部が有名です。
3) みどり大学は環境がいいです。

1-3. 1) わたしの国は(食べ物)が(おいしいです)。
2) わたしの学校は(女の先生)が(多いです)。

2-1. 1) バンコクはマニラより遠いです。
2) 東京はパリより暖かいです。
3) 奈良は京都より古いです。

3-1. 1) A：文法と漢字とどちらが難しいですか。　B1：(文法)のほうが難しいです。　B2：どちらも難しいです。　B3：どちらも難しくないです。
2) A：勉強とアルバイトとどちらが大変ですか。　B1：(勉強)のほうが大変です。　B2：どちらも大変です。　B3：どちらも大変じゃありません。
3) A：パソコンと携帯電話とどちらが便利ですか。　B1：(パソコン)のほう

が便利です。　Ｂ２：どちらも便利です。　Ｂ３：どちらも便利じゃありません。

４）Ａ：お父さんとお母さんとどちらが料理が上手ですか。　Ｂ１：（父）のほうが料理が上手です。　Ｂ２：どちらも料理が上手です。　Ｂ３：どちらも料理が上手じゃありません。

3-2. １）Ａ：みどり大学とゆり大学とどちらが学費が（安いです）か。　Ｂ：みどり大学のほうが学費が安いです。

２）Ａ：みどり大学とゆり大学とどちらがキャンパスが（広いです）か。　Ｂ：ゆり大学のほうがキャンパスが広いです。

３）Ａ：みどり大学とゆり大学とどちらが歴史が（長いです）か。　Ｂ：ゆり大学のほうが歴史が長いです。

4-1. １）Ａ：飲み物で何がいちばん好きですか。　Ｂ：（お茶／ジュース／コーヒー／紅茶／牛乳／水）がいちばん好きです。

２）Ａ：果物で何がいちばん好きですか。　Ｂ：（バナナ／りんご／すいか／みかん／メロン／いちご）がいちばん好きです。

4-2. １）Ａ：学生食堂で何がいちばんおいしいですか。　Ｂ：（ラーメン／そば／カレー／サンドイッチ）がいちばんおいしいです。

２）Ａ：１年でいつがいちばん好きですか。　Ｂ：（春／夏／秋／冬）がいちばん好きです。

３）Ａ：家族でだれがいちばん背が高いですか。　Ｂ：（父）がいちばん背が高いです。

４）Ａ：学校でどこがいちばん静かですか。　Ｂ：（図書室）がいちばん静かです。

4-3. １）どこがいちばん（きれい／にぎやか／有名／いい）ですか。

２）何がいちばん（おいしい／有名）ですか。

5-1. ㊾大きくて　㊿小さくて　(51)新しくて　(52)古くて　(53)面白くて　(54)高くて
(55)安くて　(56)楽しくて　(57)よくて　(58)おいしくて　(59)難しくて　(60)青くて
(61)元気で　(62)親切で　(63)簡単で　(64)きれいで　(65)にぎやかで　(66)静かで　(67)便利で
(68)有名で　(69)学生で　(70) 100円で　(71)雨で

5-2. 1）この公園は（静かで、花がきれいです）。

2）リンさんは（頭がよくて、まじめです）。

3）マリーさんは（優しくて、歌が上手です）。

4）田中さんは（28歳で、独身です）。

5-3. 1）新幹線は速くて、（いいです）。新幹線は速いですが、（高いです）。

2）東京はきれいで、（にぎやかです）。東京はきれいですが、（食べ物が高いです）。

3）わたしの部屋は狭くて、（駅から遠いです）。わたしの部屋は狭いですが、（きれいです）。

使いましょう

B：（みどりアパート）のほうがいいです。（広くて、安いです）から。／（駐車場があります）から。（さくらマンション）は（駅から近いですが、うるさいです。）

12

1-1. ㊾大きかったです　㊿小さかったです　(51)新しかったです　(52)古かったです　(53)面白かったです　(54)高かったです　(55)安かったです　(56)楽しかったです　(57)よかったです　(58)おいしかったです　(59)難しかったです　(60)青かったです　(61)元気でした　(62)親切でした　(63)簡単でした　(64)きれいでした　(65)にぎやかでした　(66)静かでした　(67)便利でした　(68)有名でした　(69)学生でした　(70)100円でした　(71)雨でした　(72)休みでした

1-2. 1）天気は（よかったです）。　2）公園は（にぎやかでした）。

3）桜の花は（きれいでした）。　4）桜の木は（大きかったです）。

5）おにぎりは（おいしかったです）。　6）花見は（楽しかったです）。

1-3. 1）発表は（3月27日でした）。

2）発表の時間は（10時から10時20分まででした／短かったです）。

3）日本語の発表は（難しかったです）。

4) 質問は（簡単でした／多かったです）。

2-1. ㊾大きくなかったです　㊿小さくなかったです　㊽新しくなかったです
　　　　㊼古くなかったです　㊽面白くなかったです　㊾高くなかったです
　　　　㊾安くなかったです　㊽楽しくなかったです　㊿よくなかったです
　　　　㊽おいしくなかったです　㊾難しくなかったです　㊿青くなかったです
　　　　㊽元気じゃありませんでした　㊾親切じゃありませんでした
　　　　㊽簡単じゃありませんでした　㊾きれいじゃありませんでした
　　　　㊽にぎやかじゃありませんでした　㊾静かじゃありませんでした
　　　　㊽便利じゃありませんでした　㊾有名じゃありませんでした
　　　　㊽学生じゃありませんでした　㊾100円じゃありませんでした
　　　　㊽雨じゃありませんでした　㊾休みじゃありませんでした

2-2. 1) A：天気はよかったですか。　B：いいえ、よくなかったです。
　　　　2) A：部屋はきれいでしたか。　B：いいえ、きれいじゃありませんでした。
　　　　3) A：晩ご飯はおいしかったですか。　B：いいえ、おいしくなかったです。
　　　　4) A：ホテルの人は親切でしたか。　B：いいえ、親切じゃありませんでした。

2-3. 1) A：サッカーの練習は厳しかったですか。　B１：はい、とても厳しかったです。　B２：いいえ、あまり厳しくなかったです。
　　　　2) A：授業は面白かったですか。　B１：はい、とても面白かったです。
　　　　　　B２：いいえ、あまり面白くなかったです。
　　　　3) A：アルバイトは大変でしたか。　B１：はい、とても大変でした。
　　　　　　B２：いいえ、あまり大変じゃありませんでした。
　　　　4) A：映画は怖かったですか。　B１：はい、とても怖かったです。
　　　　　　B２：いいえ、あまり怖くなかったです。

2-4. 1) B：海で釣りをしました。
　　　　　　B：（とても面白かったです／あまり面白くなかったです）。
　　　　2) B：山に登りました。
　　　　　　B：（とても寒かったです／あまり大変じゃありませんでした）。
　　　　3) B：日本人のうちに泊まりました。

B：(とてもよかったです／あまり楽しくなかったです)。
　4）B：着物を着ました。
　　　B：(とても大変でした／あまり大変じゃありませんでした)。

3-1. 1）(50分)休みます。　2）(8時間)寝ます。　3）(1か月)勉強しました。

3-2. 1）A：東京からローマまで飛行機でどのぐらいかかりますか。
　　　　B：12時間ぐらいかかります。
　　　2）A：福岡からプサンまでフェリーでどのぐらいかかりますか。
　　　　B：5時間30分ぐらいかかります。
　　　3）A：東京から大阪まで新幹線でどのぐらいかかりますか。
　　　　B：2時間20分ぐらいかかります。
　　　4）A：東京から京都まで歩いてどのぐらいかかりますか。
　　　　B：2週間ぐらいかかります。
　　　5）A：札幌から鹿児島まで自転車でどのぐらいかかりますか。
　　　　B：1か月ぐらいかかります。
　　　6）A：(Bさんの国)から(日本)まで(飛行機)でどのぐらいかかりますか。
　　　　B：(8時間)ぐらいかかります。

まとめ2

1. 1）新しいです　2）短いです　3）小さいです　4）低いです　5）簡単です
　　6）忙しいです　7）近いです　8）暑いです

2. 1）おいしくないです　2）おいしかったです　3）おいしくなかったです
　　4）おいしくて　5）こわいです　6）こわかったです　7）こわくなかったです
　　8）こわくて　9）よくないです　10）よかったです　11）よくなかったです
　　12）よくて　13）きれいじゃありません　14）きれいでした
　　15）きれいじゃありませんでした　16）べんりじゃありません
　　17）べんりじゃありませんでした　18）べんりで　19）あめじゃありません
　　20）あめでした　21）あめで

3. 1）d　2）a　3）b　4）e

13

1-1. 1) わたしは布団が欲しいです。　2) わたしはテーブルが欲しいです。
3) わたしはお皿が欲しいです。　4) わたしはコップが欲しいです。
5) わたしは机が欲しいです。　6) わたしは自転車が欲しいです。

1-2. 1) B：車が欲しいです。　A：どんな車が欲しいですか。　B：(日本の) 車が欲しいです。
2) B：うちが欲しいです。　A：どんなうちが欲しいですか。　B：(大きい) うちが欲しいです。
3) B：船が欲しいです。　A：どんな船が欲しいですか。　B：(大きくて、きれいな) 船が欲しいです。
4) B：かばんが欲しいです。　A：どんなかばんが欲しいですか。　B：(軽い) かばんが欲しいです。

2-1. 1) わたしはうちへ帰りたいです。　2) わたしは友達に会いたいです。
3) わたしは映画を見たいです。　4) わたしは買い物をしたいです。
5) わたしは温泉に入りたいです。

2-2. 1) A：一緒にお酒を飲みませんか。　B：飲みたくないです。
2) A：一緒にゲームをしませんか。　B：したくないです。
3) A：一緒に映画を見ませんか。　B：見たくないです。

2-3. B：時間のほうが欲しいです。(勉強し) たいですから。

3-1. 1) コンビニへお弁当を買いに行きます。　2) 銀行へお金を下ろしに行きます。
3) 図書館へ本を返しに行きます。　4) 空港へ友達を迎えに行きます。
5) 市役所へ市長に会いに行きます。

3-2. 1) (京都) へ花見に行きます。　2) (レストラン) へ食事に行きます。
3) (スーパー) へ買い物に行きます。　4) (北海道) へスキーに行きます。

3-3. B：いいえ、(お茶を習い／本を読み／コンサートを聞き) に来ました。

A：わたしは（絵を見／友達と話し／CDを聞き）に来ました。

4-1. 1）荷物を持ちましょうか。　2）手伝いましょうか。
3）地図をかきましょうか。　4）掃除しましょうか。
5）お皿を洗いましょうか。

4-2. 1）A：日本語でメールを書きたいんですが……。　B：じゃ、書き方を教えましょうか。
2）A：コピー機を使いたいんですが……。　B：じゃ、使い方を教えましょうか。
3）A：歌舞伎座へ行きたいんですが……。　B：じゃ、行き方を教えましょうか。
4）A：相撲のチケットを買いたいんですが……。　B：じゃ、買い方を教えましょうか。

14

1. ❶食べる ❷飲む ❸買う ❹書く ❺聞く ❻見る ❼読む ❽する ❾起きる ❿寝る ⓫勉強する ⓬働く ⓭休む ⓮泳ぐ ⓯作る ⓰入る ⓱会う ⓲行く ⓳帰る ⓴来る ㉑ある ㉒いる ㉓開ける ㉔散歩する ㉕送る ㉖教える ㉗貸す ㉘借りる ㉙話す ㉚着る ㉛撮る ㉜発表する ㉝遊ぶ ㉞使う ㉟洗う ㊱返す ㊲浴びる ㊳乗る ㊴降りる ㊵消す ㊶死ぬ ㊷待つ ㊸見せる

2-1. 1）わたしの趣味は山に登ることです。　2）わたしの趣味は音楽を聞くことです。
3）わたしの趣味は相撲を見ることです。
4）わたしの趣味はケーキを作ることです。
5）わたしの趣味は寝ることです。
6）わたしの趣味は（写真を撮る）ことです。

2-2. 1）B：絵をかくことです。　A：どんな絵をかきますか。　B：（山）とか、（海）とか。
2）B：歌を歌うことです。　A：どんな歌を歌いますか。　B：（ジャズ）とか、

(ロック) とか。

3) B：スポーツを見ることです。　A：どんなスポーツを見ますか。　B：(サッカー) とか、(テニス) とか。

3-1. 1) アランさんは500メートル泳ぐことができます。
2) アランさんは日本語の新聞を読むことができます。
3) アランさんは天ぷらを作ることができます。
4) アランさんは中国語を話すことができます。
5) アランさんは（ピアノを弾く）ことができます。

3-2. 1) A：(B) さんは何メートル泳ぐことができますか。
　　　B：(500メートル) 泳ぐことができます。
2) A：(B) さんはどのぐらい彼／彼女を待つことができますか。
　　　B：(1時間) 待つことができます。
3) A：(B) さんはどんな料理を作ることができますか。
　　　B：(スパゲティを作る) ことができます。

4-1. 1) A：どこで生け花を習うことができますか。
　　　B：(文化センター) でできますよ。
2) A：どこでスキーをすることができますか。
　　　B：(北海道／長野) でできますよ。
3) A：どこでお国の料理を食べることができますか。
　　　B：(横浜) でできますよ。
4) A：どこで温泉に入ることができますか。
　　　B：(箱根／別府) でできますよ。
5) A：どこで忍者に会うことができますか。
　　　B：(長野／三重の忍者村) でできますよ。

4-2. 山ホテル
山に登ることができます。／カラオケができます。／浴衣を着ることができます。／ゲームをすることができます。／プールで泳ぐことができます。／畳の部屋で（布団で）寝ることができます。

海ホテル
ペットと一緒に泊まることができます。／バーベキューをすることができます。／テントで寝ることができます。／海で泳ぐことができます。／おいしい魚を食べることができます。／海で釣りをすることができます。／テニスをすることができます。

5-1. 1) 寝るまえに、シャワーを浴びます。　2) 寝るまえに、歯を磨きます。

5-2. 1) 新幹線に乗るまえに、（お茶とお弁当を買います）。
2) 国へ帰るまえに、（お土産を買います）。
3) 日本へ来るまえに、（日本語の勉強をしました）。

5-3. 1) 旅行のまえに、（地図を買います）。
2) 授業のまえに、（トイレへ行きます）。
3) スピーチのまえに、（よく練習します）。
4) デートのまえに、（歯を磨きます）。

友達の会話
1) A：何か、読む？　B：うん、読む。　A：何、読む？　B：雑誌。
2) A：何か、飲む？　B：うん、飲む。　A：何、飲む？　B：コーヒー。
3) A：何か、見る？　B：うん、見る。　A：何、見る？　B：テレビ。
4) A：何か、聞く？　B：うん、聞く。　A：何、聞く？　B：クラシック。

15

1. ①食べて　②飲んで　③買って　④書いて　⑤聞いて　⑥見て　⑦読んで　⑧して　⑨起きて　⑩寝て　⑪勉強して　⑫働いて　⑬休んで　⑭泳いで　⑮作って　⑯入って　⑰会って　⑱行って　⑲帰って　⑳来て　㉑あって　㉒いて　㉓開けて　㉔散歩して　㉕送って　㉖教えて　㉗貸して　㉘借りて　㉙話して　㉚着て　㉛撮って　㉜発表して　㉝遊んで　㉞使って　㉟洗って　㊱返して　㊲浴びて　㊳乗って　㊴降りて　㊵消して　㊶死んで　㊷待って　㊸見せて　㊹急いで

㊺入れて ㊻切って ㊼運んで

2-1. ❶食べてください ❷飲んでください ❸買ってください ❹書いてください
❺聞いてください ❻見てください ❼読んでください ❽してください
❾起きてください ❿寝てください ⓫勉強してください ⓬働いてください
⓭休んでください ⓮泳いでください ⓯作ってください ⓰入ってください
⓱会ってください ⓲行ってください ⓳帰ってください ⓴来てください
㉒いてください ㉓開けてください ㉔散歩してください ㉕送ってください
㉖教えてください ㉗貸してください ㉘借りてください ㉙話してください
㉚着てください ㉛撮ってください ㉜発表してください ㉝遊んでください
㉞使ってください ㉟洗ってください ㊱返してください ㊲浴びてください
㊳乗ってください ㊴降りてください ㊵消してください ㊷待ってください
㊸見せてください ㊹急いでください ㊺入れてください ㊻切ってください
㊼運んでください

2-2. 1）野菜を切ってください。 2）なべに肉と野菜を入れてください。
3）30分煮てください。 4）お皿を並べてください。

2-3. 1）もう一度言ってください。 2）ボールを貸してください。
3）すぐ来てください。 4）修理してください。
5）急いでください。

3. 1）どうぞ。このスリッパを履いてください。（失礼します）。
2）どうぞ。入ってください。（失礼します）。
3）どうぞ。座ってください。（失礼します）。
4）どうぞ。食べてください。（いただきます）。

4. 1）先生、すみませんが、手紙の書き方を教えてくださいませんか。
2）先生、すみませんが、先生の辞書を貸して／見せてくださいませんか。
3）先生、すみませんが、大学の資料を見せてくださいませんか。
4）先生、すみませんが、推薦状を書いてくださいませんか。

5-1. 1）アンさんは料理を作っています。

2) トムさんは電話をしています。
3) ホセさんは寝ています。
4) キムさんは歌を歌っています。
5) ポンさんはギターを弾いています。
6) リンさんはジュースを飲んでいます。
7) 木村さんは料理を食べています。

5-2. 1) A：渡辺さん、今何をしていますか。 B：レポートを書いています。
 A：渡辺さんも来ませんか。
2) A：アランさん、今何をしていますか。 B：新聞を読んでいます。 A：アランさんも来ませんか。
3) A：野口さん、今何をしていますか。 B：音楽を聞いています。 A：野口さんも来ませんか。
4) A：岩崎さん、今何をしていますか。 B：掃除をしています。 A：岩崎さんも来ませんか。

友達の会話
マリーさん、お皿、台所へ運んで。／テーブル、ふいて。／お皿、洗って。／掃除して。

使いましょう
鈴木先生は野菜を買っています。／マリーさんは海を見ています。／トムさんはジョギングをしています。／ナルコさんはジュースを飲んでいます。／キムさんは犬と遊んでいます。

16

1-1. 1) 雑誌を読んでもいいですか。 2) メールをチェックしてもいいですか。
3) ピアノを弾いてもいいですか。 4) お風呂に入ってもいいですか。
5) テレビを見てもいいですか。

1-2. 1) A：写真を撮ってもいいですか。

2) A：ここに自転車を止めてもいいですか。

3) A：この傘を借りてもいいですか。

4) A：一緒に行ってもいいですか。

2-1. 1) 写真を撮ってはいけません。　2) たばこを吸ってはいけません。

3) ボールで遊んではいけません。　4) 電話をかけてはいけません。

5) 泳いではいけません。　6) ごみを捨ててはいけません。

2-2. 1) A：(B) さんの国で、高校生は結婚してもいいですか。

　　 B1：はい、結婚してもいいです。

　　 B2：いいえ、結婚してはいけません。

2) A：(B) さんの国で、電車の中で電話をかけてもいいですか。

　　 B1：はい、かけてもいいです。

　　 B2：いいえ、かけてはいけません。

3) A：(B) さんの国で、美術館の中で写真を撮ってもいいですか。

　　 B1：はい、撮ってもいいです。

　　 B2：いいえ、撮ってはいけません。

3-1. 1) わたしはITコンピューターで働いています。

2) わたしは結婚しています。

3) わたしはアパートに住んでいます。

3-2. 1) パリに住んでいます。

2) 服のデザインをしています。

3) いいえ、結婚していません。

4) カイロに住んでいます。

5) 会社を経営しています。

6) はい、結婚しています。

3-3. 1) A：(大使館) の電話番号を知っていますか。

　　 B1：(03-1234-5678) です。　B2：(田中さん) に聞いてください。

2) A：(リンさん) のメールアドレスを知っていますか。

　　　　　　Ｂ１：(lin@abc.co.jp) です。　Ｂ２：(マリーさん) に聞いてください。
　　　3) Ａ：(マリーさん) の誕生日を知っていますか。
　　　　　　Ｂ１：(5月17日) です。　Ｂ２：(リンさん) に聞いてください。

4-1. 1) 朝起きて、顔を洗って、コーヒーを飲みます。
　　　2) お金を下ろして、買い物して、うちへ帰ります。
　　　3) うちへ帰って、シャワーを浴びて、晩ご飯を食べます。

4-2. 1) 海のお城でお姫様に会って、おいしい食べ物を食べて、魚の踊りを見ました。
　　　2) お姫様に箱をもらって、うちへ帰って、箱を開けました。

4-3. 1) Ａ：ここから歌舞伎座までどうやって行きますか。
　　　　　Ｂ：歌舞伎座ですか。新宿まで行って、地下鉄に乗り換えて、東銀座で降ります。
　　　2) Ａ：ここから皇居までどうやって行きますか。
　　　　　Ｂ：皇居ですか。新宿まで行って、JRに乗り換えて、東京で降ります。

17

1. ❶食べない ❷飲まない ❸買わない ❹書かない ❺聞かない ❻見ない
❼読まない ❽しない ❾起きない ❿寝ない ⓫勉強しない ⓬働かない
⓭休まない ⓮泳がない ⓯作らない ⓰入らない ⓱会わない ⓲行かない
⓳帰らない ⓴来ない ㉑ない ㉒いない ㉓開けない ㉔散歩しない
㉕送らない ㉖教えない ㉗貸さない ㉘借りない ㉙話さない ㉚着ない
㉛撮らない ㉜発表しない ㉝遊ばない ㉞使わない ㉟洗わない ㊱返さない
㊲浴びない ㊳乗らない ㊴降りない ㊵消さない ㊶死なない ㊷待たない
㊸見せない ㊹急がない ㊺入れない ㊻切らない ㊼運ばない ㊽持って来ない

2-1. 1) 行かないでください。　2) 泣かないでください。
　　　3) 押さないでください。　4) 怒らないでください。
　　　5) 来ないでください。　6) 食べないでください。

7）触らないでください。

2-2. 1）ごみを捨てないでください。　2）木に登らないでください。
3）野球をしないでください。　4）池の魚を捕らないでください。
5）枝を折らないでください。

2-3. 1）A：先生、スポーツをしてもいいですか。
　　　B：いいえ、2、3日しないでください。
2）A：先生、お酒を飲んでもいいですか。
　　　B：いいえ、2、3日飲まないでください。
3）A：先生、運転してもいいですか。
　　　B：いいえ、2、3日しないでください。

3-1. 1）今日から作文を書かなくてもいいです。
2）今日から宿題をしなくてもいいです。
3）今日から日本語のCDを聞かなくてもいいです。
4）今日から学費を払わなくてもいいです。

3-2. 1）わたしは王様ですから、電車に乗らなくてもいいです。
2）わたしは王様ですから、謝らなくてもいいです。
3）わたしは王様ですから、荷物を持たなくてもいいです。
4）わたしは王様ですから、税金を払わなくてもいいです。

4-1. 1）歯を磨いてから、顔を洗います。
2）お風呂に入ってから、食事をします。
3）宿題をしてから、音楽を聞きます。
4）映画を見てから、買い物します。

4-3. 1）B：テニスです。　B：高校を卒業してから、始めました。　A：(上手ですね。)
2）B：生け花です。　B：結婚してから、始めました。　A：(いいですね。)
3）B：お茶です。　B：会社に入ってから、始めました。　A：(わたしも習い

4) B：ピアノです。 B：中学に入ってから、始めました。 A：(どんな曲が好きですか。)

4-4. 1) メールを送信してから、切ってください。
2) ファイルを削除してから、切ってください。
3) アドレスを登録してから、切ってください。

友達の会話 1

1) A：漫画、読む？　B：うん、読む。　C：ううん、読まない。
2) A：お茶、飲む？　B：うん、飲む。　C：ううん、飲まない。
3) A：この漢字、分かる？　B：うん、分かる。　C：ううん、分からない。
4) A：このお菓子、食べる？　B：うん、食べる。　C：ううん、食べない。
5) A：お金、ある？　B：うん、ある。　C：ううん、ない。
6) A：(あした遊びに行く？)　B：うん、(行く。)　C：ううん、(行かない。)

友達の会話 2

1) あ、しょうゆ、かけないで。　2) あ、パン、焼かないで。
3) あ、窓、開けないで。　4) あ、エアコン、消さないで。

使いましょう

1) 体を洗ってから、お湯に入ってください。
2) 体をふいてから、出てください。
3) お湯の中にタオルを入れないでください。
4) お湯の中で体を洗わないでください。

18

1-1. ❶食べた ❷飲んだ ❸買った ❹書いた ❺聞いた ❻見た ❼読んだ ❽した ❾起きた ❿寝た ⓫勉強した ⓬働いた ⓭休んだ ⓮泳いだ ⓯作った ⓰入った ⓱会った ⓲行った ⓳帰った ⓴来た ㉑あった ㉒いた ㉓開けた

㉔散歩した ㉕送った ㉖教えた ㉗貸した ㉘借りた ㉙話した ㉚着た
㉛撮った ㉜発表した ㉝遊んだ ㉞使った ㉟洗った ㊱返した ㊲浴びた
㊳乗った ㊴降りた ㊵消した ㊶死んだ ㊷待った ㊸見せた ㊹急いだ
㊺入れた ㊻切った ㊼運んだ ㊽持って来た

2-1. 1) 生け花を習ったことがあります。 2) ホームステイしたことがあります。
3) 海で泳いだことがあります。 4) 温泉に入ったことがあります。
5) 歌舞伎を見たことがあります。

2-2. 1) A：日本料理を作ったことがありますか。
　　　B1：はい、（3回）あります。　B1：とても（面白かったです）。また作りたいです。
　　　A2：じゃ、今度一緒に作りませんか。　B2：ええ。ぜひ作りたいです。
2) A：富士山に登ったことがありますか。
　　　B1：はい、（1回）あります。　B1：とても（楽しかったです）。また登りたいです。
　　　A2：じゃ、今度一緒に登りませんか。　B2：ええ。ぜひ登りたいです。
3) A：すき焼きを食べたことがありますか。
　　　B1：はい、（2回）あります。　B1：とても（おいしかったです）。また食べたいです。
　　　A2：じゃ、今度一緒に食べませんか。　B2：ええ。ぜひ食べたいです。
4) A：日本のお城を見に行ったことがありますか。
　　　B1：はい、（1回）あります。　B1：とても（きれいでした）。また見に行きたいです。
　　　A2：じゃ、今度一緒に見に行きませんか。　B2：ええ。ぜひ見に行きたいです。

3-1. 1) 旅行のまえに、パンフレットを集めたり、インターネットでホテルを探したりします。／旅行のまえに、飛行機の時間をチェックしたり、旅行会社へ行ったりします。
2) 引っ越しのまえに、ごみを捨てたり、荷造りしたりします。／引っ越しのまえに、ガス会社に連絡したり、掃除したりします。

3-2. 1）（服を買ったり、お金を下ろしたりします）。
2）（荷物を送ったり、電話料金を払ったりすることができます）。
3）（ごみを捨てたり、買い物に行ったりしました）。
4）（ロビーでたばこを吸ったり、部屋で料理をしたりしてはいけません）。

4-1. 1）テストを出したあとで、答えを思い出しました。
2）何回も失敗したあとで、やっとロボットが完成しました。
3）恋人と別れたあとで、今の彼／彼女に会いました。

4-2. 1）B：ううん。買い物のあとで、行く。
2）B：ううん。お風呂のあとで、行く。
3）B：ううん。食事のあとで、行く。

友達の会話
1）晩ご飯、どこで食べた？（うちで食べた。／うちで食べました）。
2）晩ご飯のあとで、何、した？（テレビ、見た。／テレビを見ました）。
3）何時に寝た？（12時に寝た。／12時に寝ました）。
4）新幹線に乗ったこと、ある？（うん、ある。／ううん、ない。／はい、あります。／いいえ、ありません）。
5）納豆、食べたこと、ある？（うん、ある。／ううん、ない。／はい、あります。／いいえ、ありません）。

まとめ3

1. 1）あそぶ 2）あそんで 3）あそばない 4）あそんだ 5）おくります
6）おくって 7）おくらない 8）おくった 9）あらいます 10）あらう
11）あらわない 12）あらった 13）いそぎます 14）いそぐ 15）いそいで
16）いそいだ 17）みせます 18）みせる 19）みせて 20）みせない
21）みます 22）みる 23）みて 24）みた 25）します 26）する
27）しない 28）した 29）きます 30）きて 31）こない 32）きた

2. 1）f, i, m 2）a, d, n 3）e, k, l, o
4）c, g 5）h, j, p

3. 1) すみません、スプーンを取ってください。
2) 中に入ってはいけません。
3) ここに座ってもいいですか。
4) 笑わないでください。
5) あそこで踊っていますよ。
6) うちへ帰りたいです。

4. 1) アニメを勉強しています。　2) コーヒーカップを探しに行きます。
3) はい、あります。／いいえ、ありません。

19

1-1.　❶食べる　食べない　食べた　食べなかった
❷飲む　飲まない　飲んだ　飲まなかった
❸買う　買わない　買った　買わなかった
❹書く　書かない　書いた　書かなかった
❺聞く　聞かない　聞いた　聞かなかった
❻見る　見ない　見た　見なかった
❼読む　読まない　読んだ　読まなかった
❽する　しない　した　しなかった
❾起きる　起きない　起きた　起きなかった
❿寝る　寝ない　寝た　寝なかった
⓫勉強する　勉強しない　勉強した　勉強しなかった
⓬働く　働かない　働いた　働かなかった
⓭休む　休まない　休んだ　休まなかった
⓮泳ぐ　泳がない　泳いだ　泳がなかった
⓯作る　作らない　作った　作らなかった
⓰入る　入らない　入った　入らなかった
⓱会う　会わない　会った　会わなかった
⓲行く　行かない　行った　行かなかった

37

⑲帰る　帰らない　帰った　帰らなかった
⑳来る　来ない　来た　来なかった
㉑ある　ない　あった　なかった
㉒いる　いない　いた　いなかった
㉓開ける　開けない　開けた　開けなかった
㉔散歩する　散歩しない　散歩した　散歩しなかった
㉕送る　送らない　送った　送らなかった
㉖教える　教えない　教えた　教えなかった
㉗貸す　貸さない　貸した　貸さなかった
㉘借りる　借りない　借りた　借りなかった
㉙話す　話さない　話した　話さなかった
㉚着る　着ない　着た　着なかった
㉛撮る　撮らない　撮った　撮らなかった
㉜発表する　発表しない　発表した　発表しなかった
㉝遊ぶ　遊ばない　遊んだ　遊ばなかった
㉞使う　使わない　使った　使わなかった
㉟洗う　洗わない　洗った　洗わなかった
㊱返す　返さない　返した　返さなかった
㊲浴びる　浴びない　浴びた　浴びなかった
㊳乗る　乗らない　乗った　乗らなかった
㊴降りる　降りない　降りた　降りなかった
㊵消す　消さない　消した　消さなかった
㊶死ぬ　死なない　死んだ　死ななかった
㊷待つ　待たない　待った　待たなかった
㊸見せる　見せない　見せた　見せなかった
㊹急ぐ　急がない　急いだ　急がなかった
㊺入れる　入れない　入れた　入れなかった
㊻切る　切らない　切った　切らなかった
㊼運ぶ　運ばない　運んだ　運ばなかった
㊽持って来る　持って来ない　持って来た　持って来なかった
㊾大きい　大きくない　大きかった　大きくなかった

(50)小(ちい)さい　小(ちい)さくない　小(ちい)さかった　小(ちい)さくなかった

(51)新(あたら)しい　新(あたら)しくない　新(あたら)しかった　新(あたら)しくなかった

(52)古(ふる)い　古(ふる)くない　古(ふる)かった　古(ふる)くなかった

(53)面白(おもしろ)い　面白(おもしろ)くない　面白(おもしろ)かった　面白(おもしろ)くなかった

(54)高(たか)い　高(たか)くない　高(たか)かった　高(たか)くなかった

(55)安(やす)い　安(やす)くない　安(やす)かった　安(やす)くなかった

(56)楽(たの)しい　楽(たの)しくない　楽(たの)しかった　楽(たの)しくなかった

(57)いい　よくない　よかった　よくなかった

(58)おいしい　おいしくない　おいしかった　おいしくなかった

(59)難(むずか)しい　難(むずか)しくない　難(むずか)しかった　難(むずか)しくなかった

(60)青(あお)い　青(あお)くない　青(あお)かった　青(あお)くなかった

(61)元気(げんき)だ　元気(げんき)じゃない　元気(げんき)だった　元気(げんき)じゃなかった

(62)親切(しんせつ)だ　親切(しんせつ)じゃない　親切(しんせつ)だった　親切(しんせつ)じゃなかった

(63)簡単(かんたん)だ　簡単(かんたん)じゃない　簡単(かんたん)だった　簡単(かんたん)じゃなかった

(64)きれいだ　きれいじゃない　きれいだった　きれいじゃなかった

(65)にぎやかだ　にぎやかじゃない　にぎやかだった　にぎやかじゃなかった

(66)静(しず)かだ　静(しず)かじゃない　静(しず)かだった　静(しず)かじゃなかった

(67)便利(べんり)だ　便利(べんり)じゃない　便利(べんり)だった　便利(べんり)じゃなかった

(68)有名(ゆうめい)だ　有名(ゆうめい)じゃない　有名(ゆうめい)だった　有名(ゆうめい)じゃなかった

(69)学生(がくせい)だ　学生(がくせい)じゃない　学生(がくせい)だった　学生(がくせい)じゃなかった

(70) 100円(えん)だ　100円(えん)じゃない　100円(えん)だった　100円(えん)じゃなかった

(71)雨(あめ)だ　雨(あめ)じゃない　雨(あめ)だった　雨(あめ)じゃなかった

(72)休(やす)みだ　休(やす)みじゃない　休(やす)みだった　休(やす)みじゃなかった

2-1.　1）あの先生(せんせい)は料理(りょうり)が上手(じょうず)だと思(おも)います。

2）あの先生(せんせい)は厳(きび)しいと思(おも)います。

3）あの先生(せんせい)は結婚(けっこん)していないと思(おも)います。

2-2.　（この人(ひと)は男(おとこ)だ／この人(ひと)は30歳(さい)ぐらいだ／この人(ひと)は1時間(じかん)ぐらい待(ま)っている／この人(ひと)は女(おんな)の人(ひと)を待(ま)っている／この人(ひと)はたくさんたばこを吸(す)った／女(おんな)の人(ひと)は来(こ)ない／男(おとこ)の人(ひと)は一人(ひとり)で帰(かえ)る／外(そと)は暑(あつ)い／夏(なつ)だ／外(そと)の２人(ふたり)は恋人(こいびと)だ）と思(おも)います。

2-3. 1）A：将来学校はなくなりますか。
　　　　B１：さあ、よく分かりませんが、なくなると思います。
　　　　B２：さあ、よく分かりませんが、なくならないと思います。
　　2）A：将来月に住むことができますか。
　　　　B１：さあ、よく分かりませんが、住むことができると思います。
　　　　B２：さあ、よく分かりませんが、住むことができないと思います。
　　3）A：将来もコンピューターが必要ですか。
　　　　B１：さあ、よく分かりませんが、必要だと思います。
　　　　B２：さあ、よく分かりませんが、必要じゃないと思います。
　　4）A：昔日本人は肉を食べましたか。
　　　　B１：さあ、よく分かりませんが、食べたと思います。
　　　　B２：さあ、よく分かりませんが、食べなかったと思います。
　　5）A：昔日本人は今より背が高かったですか。
　　　　B１：さあ、よく分かりませんが、今より背が高かったと思います。
　　　　B２：さあ、よく分かりませんが、背が高くなかったと思います。
　　6）A：昔日本人は暇でしたか。
　　　　B１：さあ、よく分かりませんが、暇だったと思います。
　　　　B２：さあ、よく分かりませんが、暇じゃなかったと思います。

2-4. 1）A：コンビニについてどう思いますか。
　　　　B：そうですね。ちょっと高いですが、（夜も買い物ができますから、便利だ）と思います。
　　2）A：今の生活についてどう思いますか。
　　　　B：そうですね。忙しいですが、（日本についていろいろ知ることができますから、面白い）と思います。
　　3）A：日本の果物についてどう思いますか。
　　　　B：そうですね。種類がたくさんありますが、（わたしの国より高い）と思います。

3-1. 1）お医者さんはすぐ治ると言いました。
　　2）お医者さんはインフルエンザじゃないと言いました。

3) お医者さんは学校へ行ってもいいと言いました。
4) お医者さんはお風呂に入ってはいけないと言いました。
5) お医者さんは薬を飲まなくてもいいと言いました。

友達の会話 1
1) A：午後時間、ある？　A：じゃ、これから（一緒に勉強しない）？
2) A：テニス、好き？　A：じゃ、これから（一緒にしない）？
3) A：宿題、終わった？　A：じゃ、これから（一緒に映画に行かない）？
4) A：今暇？　A：じゃ、これから（コーヒー、飲みに行かない）？

友達の会話 2
1) A：忘年会に出た？　B1：(面白かった)よ。　B2：(頭が痛かった)から。
2) A：ミーティングに出た？　B1：(大変だった)よ。　B2：(約束があった)から。
3) A：送別会に出た？　B1：(よかった)よ。　B2：(風邪だった)から。

20

1. 1) 2本の足で歩く犬　2) 買い物ができる犬　3) 英語が分かる犬
4) 新聞を持って来る犬　5) ダンスが上手な犬

2-1. 1) これはビルを壊すロボットです。　2) これは絵をかくロボットです。
3) これは危険を知らせるロボットです。　4) これは人を助けるロボットです。
5) これは車を作るロボットです。

2-2. 1) マリーさんはアランさんが書いたブログを読みました。
2) マリーさんは先輩が働いている会社へ行きました。
3) マリーさんは先輩が設計した橋を見に行きました。

2-3. 1) いろいろな国から来た　2) 宇宙で生まれた　3) 地球にいる
4) バイオ技術で育てた　5) 宇宙ステーションから見た

2-4. 1) A：着物を着ている人はだれですか。　B：紫式部です。
2) A：帽子をかぶっている人はだれですか。　B：ナポレオンです。
3) A：スカートを履いている人はだれですか。　B：マリリン・モンローです。
4) A：眼鏡を掛けている人はだれですか。　B：ジョン・レノンです。
5) A：ネクタイをしている人はだれですか。　B：チャップリンです。
6) A：大きいネックレスをしている人はだれですか。　B：クレオパトラです。

2-5. 1) A：誕生日食べるものは何ですか。　B：ケーキです。
2) A：紙を切るものは何ですか。　B：はさみです。
3) A：冬着るものは何ですか。　B：コートです。
4) A：海で乗るものは何ですか。　B：船です。
5) A：(コンピューターで書いて、友達に送るものは何ですか。)　B：(メールです。)

21

1-1. 1) キャッシュカードをなくしたら、すぐ銀行に連絡します。
2) 交通事故に遭ったら、警察に電話をします。
3) 地震が起きたら、机の下に入ります。

1-2. 1) きれいだったら、買いたいです。
2) エンジンの調子がよかったら、買いたいです。
3) ６人乗りだったら、買いたいです。
4) 中が広かったら、買いたいです。
5) (赤い車だった)ら、買いたいです。

1-3. 1) A：携帯電話をなくしたら、どうしますか。
　　　B：(電話の会社に連絡します。)
2) A：朝寝坊をしたら、どうしますか。
　　　B：(学校／先生／会社に連絡します。／朝ご飯を食べません。)
3) A：ラブレターを拾ったら、どうしますか。

　　　　B：(読みます。／友達に返します。)
　4）A：デートのとき、お金が足りなかったら、どうしますか。
　　　　B：(彼／彼女にお金を借ります。／すぐ銀行へ行きます。)
　5）A：成績が悪かったら、どうしますか。
　　　　B：(もう一度勉強します。)

2-1. 1）この仕事が終わったら、うちへ帰ります。
　　　2）荷物が届いたら、すぐ冷蔵庫に入れてください。
　　　3）あした母が来たら、母に恋人を紹介します。
　　　4）授業が始まったら、おしゃべりをやめましょう。
　　　5）桜が咲いたら、花見に行きましょう。

2-2. 1）図をかいたら、木を集めてください。
　　　2）木を集めたら、切ってください。
　　　3）木を切ったら、木の上に運んでください。
　　　4）木を運んだら、家を組み立ててください。

3-1. 1）薬を飲んでも、病気が治りません。
　　　2）たくさん食べても、太りません。
　　　3）雨が降っても、サッカーをします。
　　　4）落としても、割れません。

3-2. 1）仕事をしていなくても、(彼／彼女／～さん)と結婚したいです。
　　　2）力が弱くても、(彼／彼女／～さん)と結婚したいです。
　　　3）年が10歳下でも、(彼／彼女／～さん)と結婚したいです。
　　　4）蛇が好きでも、(彼／彼女／～さん)と結婚したいです。
　　　5）(歯を磨かなくて／トイレのあとで、手を洗わなくて)も、(彼／彼女／～さん)
　　　　と結婚したいです。

3-3. 1）これは飲んでも酔わないビールです。
　　　2）これは歩いても疲れない靴です。
　　　3）これはお相撲さんが座っても壊れないいすです。
　　　4）これは海の中でも見ることができるテレビです。

3-4. 1）お金がなくても、幸せです。　2）忙しくても、幸せです。
　　　3）たくさん寝ることができたら、幸せです。
　　　4）恋人がいたら、幸せです。

使いましょう
　　　1）A：あなたの子供が勉強しなかったら、注意しますか。
　　　　　B１：はい、勉強しなかったら、注意します。
　　　　　B２：いいえ、勉強しなくても、注意しません。
　　　2）A：あなたの子供がけんかしたら、注意しますか。
　　　　　B１：はい、けんかしたら、注意します。
　　　　　B２：いいえ、けんかしても、注意しません。
　　　3）A：あなたの子供が好き嫌いしたら、注意しますか。
　　　　　B１：はい、好き嫌いしたら、注意します。
　　　　　B２：いいえ、好き嫌いしても、注意しません。
　　　4）A：あなたの子供が学校をサボったら、注意しますか。
　　　　　B１：はい、学校をサボったら、注意します。
　　　　　B２：いいえ、学校をサボっても、注意しません。
　　　5）A：あなたの子供が（夜8時までに帰らなかった）ら、注意しますか。
　　　　　B１：はい、（8時までに帰らなかった）ら、注意します。
　　　　　B２：いいえ、（8時までに帰らなくて）も、注意しません。

22

1-1.　1）リンさんはわたしにコーヒーカップをくれました。
　　　2）トムさんはわたしにネックレスをくれました。
　　　3）マリーさんはわたしにケーキをくれました。
　　　4）ポンさんはわたしに花をくれました。

2-1.　1）マリーさんはわたしに写真を見せてくれました。
　　　2）マリーさんはわたしに地図をかいてくれました。

3) マリーさんはわたしにおにぎりを作ってくれました。
4) マリーさんはわたしに友達を紹介してくれました。

2-2. 1) A：だれが写真を撮ってくれましたか。
　　　　 B：(ポンさん)が撮ってくれました。
　　 2) A：だれが料理を作ってくれましたか。
　　　　 B：(トムさん)が作ってくれました。
　　 3) A：だれが花火に連れて行ってくれましたか。
　　　　 B：(渡辺さん)が連れて行ってくれました。
　　 4) A：だれが盆踊りを教えてくれましたか。
　　　　 B：(野口さん)が教えてくれました。
　　 5) A：だれが(ジュースを買って)くれましたか。
　　　　 B：(木村さん)が買ってくれました。

3. 1) A：自転車は大丈夫ですか。
　　　 B：岩崎さんに直してもらいました。
　 2) A：エアコンの使い方は大丈夫ですか。
　　　 B：岩崎さんに説明してもらいました。
　 3) A：蛍光灯は大丈夫ですか。
　　　 B：岩崎さんに取り替えてもらいました。
　 4) A：市役所は大丈夫ですか。
　　　 B：岩崎さんに一緒に行ってもらいました。
　 5) A：ガスと水道は大丈夫ですか。
　　　 B：岩崎さんに連絡してもらいました。

4. 1) 友達が国から来たら、何をしてあげますか。(新宿へ連れて行ってあげます。/日本料理を作ってあげます。/日本語を教えてあげます。)
　 2) 友達が試験に合格したら、何をしてあげますか。(パーティーをしてあげます。/プレゼントをあげます。)

友達の会話 1
1) ノート、見せてくれる？　　2) 自転車、貸してくれる？

45

3）掃除、手伝ってくれる？　4）答え、チェックしてくれる？

友達の会話 2

1）コピー、配ってくれる？　2）プロジェクター、セットしてくれる？
3）机、並べてくれる？　4）いす、持って来てくれる？

使いましょう 1

（引っ越しを手伝ってくれて、ありがとう。）（ドライブに連れて行ってくれて、ありがとう。）

まとめ4

1. 1）いわない　2）いった　3）いわなかった　4）ない　5）あった
   6）なかった　7）こない　8）きた　9）こなかった　10）たのしくない
   11）たのしかった　12）たのしくなかった　13）ひつようじゃない
   14）ひつようだった　15）ひつようじゃなかった　16）びょうきじゃない
   17）びょうきだった　18）びょうきじゃなかった

2. 1）（昨日石田さんは大きい荷物を持っていました。ドアを開けることができませんでした。僕はドアを開けてあげました。）

3. 1）寂しかった　2）いなかった　3）読んでいた　4）好きだった
   5）紹介してくれた　6）驚いた　7）いた　8）みんなだった
   9）言った　10）笑っていた　11）分かった　12）うれしかった
   13）してあげたい

   質問　②